LA PENTE
GLISSANTE

Le funeste destin des Baudelaire

par LEMONY SNICKET

traduit par Rose-Marie Vassallo

Dixième volume

LA PENTE GLISSANTE

Catalogage avant publication de la Bibliothèque nationale du Canada

Snicket, Lemony

La pente glissante

(Le funeste destin des Baudelaire; 10ᵉ)
Traduction de : The Slippery Slope.
Pour les jeunes de 8 ans et plus.

ISBN: 2-7625-2397-4
ISBN 978-2-7625-2397-3

I. Helquist, Brett. II. Vassallo, Rose-Marie. III. Titre. IV. Collection: Snicket, Lemony. Funeste destin des Baudelaire; 10ᵉ.

PZ23.S59985Pe 2006   j813'.54   C2005-942354-4

The Slippery Slope
Copyright du texte © 2003 Lemony Snicket
Copyright des illustrations © 2003 Brett Helquist
Publié par HarperCollins Publishers Inc.

Version française
© Éditions Nathan 2005
Pour le Canada
© Les éditions Héritage inc. 2006
Tous droits réservés

Infographie et mise en pages : Jean-Marc Gélineau
Révision : Ginette Bonneau

Dépôts légaux : 2ᵉ trimestre 2006
Bibliothèque et Archives nationales du Québec
Bibliothèque nationale du Canada

Imprimé au Canada

10 9 8 7 6 5 4 3 2 1

LES ÉDITIONS HÉRITAGE INC.
300, rue Arran, Saint-Lambert (Québec) J4R 1K5
Téléphone: (514) 875-0327 • Télécopieur: (450) 672-5448
Courriel: information @editionsheritage.com

Pour Beatrice

Au jour de notre rencontre,
Tu étais jolie, j'étais seul.
Aujourd'hui, je suis joliment seul.

CHAPITRE
I

L'un de mes excellents confrères a jadis écrit un poème, « Le chemin délaissé », inspiré d'une balade solitaire le long d'un sentier de sous-bois sur lequel ne passait pas un chat.

Ce chemin-là, aux dires du poète, était remarquablement tranquille, quoique un peu désert aussi. Rien de très rassurant, au fond. Là où pas un chat ne passe, si vous avez des ennuis, qui donc entendra vos cris ? Et le fait est qu'aujourd'hui, notre homme n'est plus de ce monde.

Tel le poète défunt, le récit que voici s'engage sur un chemin peu passant, et cela plutôt deux fois qu'une : d'abord, l'action démarre au cœur des monts Mainmorte, destination guère courue des touristes, pour s'achever dans les tourbillons de la Frappée, rivière que bien peu de voyageurs ont jamais approchée ; mais surtout, il s'écarte fort des récits dont raffolent la plupart des lecteurs. Loin de raconter les espiègleries de gentils personnages et d'animaux charmants, il n'annonce que tourments, horreurs et tremblements. Les personnages qui ont la malchance d'y figurer sont vingt fois trop stressés pour se montrer gentils, et ne parlons pas des animaux ! C'est pourquoi je ne saurais trop vous en déconseiller la lecture, de même que je déconseille les balades à travers les bois le long de chemins peu fréquentés.

Les orphelins Baudelaire, hélas pour eux, n'avaient pas le choix. Violette et Klaus, les deux aînés, se trouvaient présentement dans une roulotte circulant à vive allure le long d'un chemin fort peu passant. Ni Violette, qui avait quatorze ans et demi, ni Klaus, qui venait d'en avoir treize, n'auraient imaginé emprunter cette route un jour, sauf peut-être en vacances, aux côtés de leurs parents. Mais les parents Baudelaire étaient portés disparus depuis le terrible incendie qui avait détruit la demeure familiale – même si des indices découverts depuis laissaient espérer que, peut-être, l'un d'eux avait échappé au brasier. Et la roulotte en question, par malchance, ne roulait même pas dans la bonne direction, c'est-à-dire vers le haut, vers un certain lieu secret dont les enfants attendaient beaucoup. Non, elle roulait vers le bas, dévalant la pente en roue libre, si bien que Violette et Klaus se sentaient davantage comme deux hirondelles au cœur d'un cyclone que comme deux écoliers sur la route des vacances.

Mais la situation de Prunille était peut-être plus tragique encore. Benjamine du trio Baudelaire, Prunille était trop petite pour maîtriser parfaitement le langage des adultes, si bien qu'elle n'aurait su décrire son désarroi. Certes, elle roulait vers les hauteurs et vers la destination prévue, le tout dans un véhicule entièrement sous contrôle. Mais le chauffeur qui contrôlait ce véhicule avait de quoi vous glacer le sang. Certains le disaient malfaisant. D'autres le disaient retors. D'autres encore le disaient machiavélique, ce qui n'est jamais qu'une façon savante de signifier les deux à la fois. Et tous l'appelaient comte Olaf, sauf lorsqu'il s'affublait d'un déguisement loufoque assorti d'un faux nom. Le comte Olaf était acteur de son métier, mais il avait plus ou moins renoncé à la scène pour tenter d'extorquer l'immense fortune laissée par les parents Baudelaire. Les manigances de ce triste sire en vue de rafler l'héritage susdit avaient été jusqu'ici aussi tordues que diaboliques – ce qui ne l'avait pas empêché de se trouver une petite amie, une certaine Esmé d'Eschemizerre, l'élégance et la scélératesse incarnées, pour l'heure assise à ses côtés, caquetant comme une perruche, ses griffes bien serrées sur Prunille.

À l'arrière du véhicule s'entassaient divers employés du comte, dont un grand diable avec des crochets à la place des mains, deux femmes au visage tout fariné de blanc et trois nouvelles recrues, anciens monstres d'un parc forain, Caligari Folies. Les enfants Baudelaire eux-mêmes avaient été monstres dans ce parc, déguisés à leur manière, et eux aussi s'étaient fait recruter par Olaf. Mais ce dernier avait finalement vu clair dans leur jeu, expression signifiant ici qu'il avait reconnu les orphelins et décidé de n'en garder qu'un, puisqu'un seul lui suffisait pour détourner l'héritage Baudelaire. En vertu de quoi il avait fait trancher le câble reliant la roulotte à la voiture et voilà pourquoi, à présent, captive sur les genoux d'Esmé, Prunille se rongeait les sangs pour ses aînés, alors que leurs cris d'horreur ne résonnaient plus que dans sa tête.

— Au secours ! Il faut arrêter cette roulotte ! hurlait Klaus à pleins poumons en se hâtant de remettre ses lunettes, comme si le fait d'améliorer sa vue améliorait la situation.

Hélas ! même avec dix sur dix à chaque œil, il était clair que la situation se présentait plutôt mal. Dans la roulotte qui avait hébergé plusieurs monstres professionnels avant leur défection – mot signifiant ici : « avant qu'ils ne se joignent à la monstrueuse bande d'Olaf » –, tout était pris de danse de Saint-Guy. Klaus dut faire un saut de côté pour éviter un poêlon volant, celui que Féval le bossu réservait à ses fricassées et qui tentait le saut de l'ange. Puis il esquissa un pas de danse sur des dominos en migration – les chers dominos de Bretzella la contorsionniste. Enfin, il rentra le cou dans les épaules pour esquiver la gigue d'un hamac, celui d'Otto l'ambidextre avant que ce dernier, comme ses collègues, ne rallie la troupe d'Olaf. D'une seconde à l'autre, à coup sûr, ce hamac frénétique allait se détacher et ensevelir les deux enfants.

Dans cet enfer, pour Klaus, l'unique vision réconfortante – à condition de drôlement loucher – était sa sœur aînée, dont la tête émergeait du même col de chemise. Mais déjà, d'une main fébrile, Violette déboutonnait cette chemise qui les ligotait tous deux.

— Ouste, on sort de là-dedans, et vite ! Aide-moi à nous extirper de ce pantalon. Fini, le monstre à deux têtes. Mieux vaut être deux, et sur quatre jambes !

Frère et sœur se trémoussèrent et leurs guenilles chutèrent en petit tas à leurs pieds. L'instant d'après, ils étaient redevenus eux-mêmes, deux enfants chancelant sur un plancher peu stable. Klaus se plia en deux pour éviter le plongeon d'un pot de fleur, mais la vue de sa sœur le rasséréna : elle attachait ses cheveux pour se dégager les yeux, signe sûr qu'elle allait inventer quelque chose. Le génie inventif de Violette était déjà, bien des fois, venu à bout des pires situations et Klaus s'informa, plein d'espoir :

— Tu vas nous bricoler un frein ?

— Pas tout de suite. À pareille vitesse, un frein ne suffirait pas, les roues tournent beaucoup trop vite. Je vais plutôt décrocher ces hamacs et essayer de nous faire un parachute de freinage.

— Un quoi ?

— Parachute... de freinage, répéta Violette avec un petit saut en arrière pour éviter un porte-manteau venu s'abattre au ras de ses orteils. Tu sais bien, un de ces trucs qui s'ouvrent d'un seul coup, flouff ! à l'arrière des voitures de course. (Tout en parlant, elle décrochait le hamac dans lequel ils avaient dormi les nuits précédentes.) Les pilotes de formule 1 s'en servent pour ralentir leur voiture dès qu'ils franchissent la ligne d'arrivée. Si j'accroche ces hamacs à la porte de la caravane, ça devrait déjà nous ralentir pas mal.

— Et moi, je fais quoi ?

— Toi, tu regardes dans le garde-manger et tu en sors ce que tu peux trouver de plus collant, de plus poisseux, de plus gluant, de plus visqueux.

Lorsqu'on vous donne sans explication un ordre un peu insolite, vous êtes toujours tenté de demander : « Pour quoi faire ? » Mais Klaus avait appris à se fier aux idées de sa sœur. Il se tourna

— Garde donc ce broc à portée de la main, lui dit Violette tout en parcourant des yeux le fatras. Il pourrait servir. Maintenant, il faut trouver le moyen de remettre cette roulotte en marche. Prunille nous attend.

— Oui, et ce quartier général aussi. Le comte Olaf a gardé la carte que nous avions dénichée, mais je me rappelle où il est, moi, ce Q. G. Au milieu du Sous-bois aux neuf percées à tout vent, S.N.P.V., pas loin de la source de la Frappée. Brr! il ne doit pas faire chaud, là-haut.

— Pas grave, dit Violette. Les vêtements, ici, ce n'est pas ce qui manque. Raflons tout ce qui pourrait servir et allons faire le tri dehors.

Klaus reprit le broc d'une main, et de l'autre il empoigna une large brassée de vêtements, ainsi que le petit miroir à main de Bretzella qu'il trouva par-dessous. Vacillant sous le poids de ce butin, il descendit de la roulotte derrière sa sœur munie d'un couteau à pain, de trois gros manteaux de laine et de l'ukulélé dont Féval jouait parfois durant les heures creuses. Les marches de bois grincèrent sous les pas des enfants – et d'un coup d'œil, ils découvrirent quelle veine de pendu ils avaient eue.

La roulotte s'était arrêtée au ras d'un précipice, tout au bord de l'un de ces étranges escarpements qui donnaient aux monts Mainmorte l'allure d'un escalier pour géants. Si elle avait poursuivi sa course, ne fût-ce que d'un mètre ou deux, elle aurait basculé dans l'abîme, entraînant ses occupants jusqu'au palier inférieur, loin, très loin en contrebas.

Mais en même temps, sur leur droite, les enfants avaient vue sur un cours d'eau qui sinuait un peu plus bas, charriant des eaux étrangement sombres, pareil à une rivière de mazout. La Frappée – ce ne pouvait être qu'elle. S'il avait pris à la roulotte la fantaisie de poursuivre par là, les deux enfants auraient fait le plongeon dans ce bouillon noir.

— Bon sang, dit Violette d'une voix blanche, le frein a fonctionné juste à temps ! D'un côté comme de l'autre, notre compte était bon.

Klaus acquiesça en silence, parcourant du regard le paysage.

— On va avoir du mal à repartir dans le bon sens, dit-il. Il va falloir inventer un système de direction.

— Et surtout un moteur quelconque. Ça risque de prendre un certain temps.

— Et du temps, on n'en a pas. Si on lambine, Olaf aura une avance folle et on ne pourra plus retrouver Prunille.

— On la retrouvera, assura Violette, et elle déposa par terre le bric-à-brac qu'elle transportait. Bon. Retournons à la roulotte pour aller chercher d'autres...

Elle n'eut pas le temps de préciser d'autres quoi. Un craquement sinistre l'interrompit net. La roulotte émit un bref gémissement, puis, avec une lenteur irréelle, ses roues se remirent en mouvement. Elle repartait vers l'abrupt. Les enfants regardèrent vers l'arrière. Les roues avaient broyé la petite table. Plus rien ne bloquait le véhicule. Lentement, inexorablement, il piquait du nez vers le précipice, traînant derrière lui les hamacs inertes.

Klaus s'élança pour empoigner la toile, mais Violette le retint.

— Arrête ! C'est bien trop lourd.

— Mais on ne va pas laisser cette roulotte passer par-dessus bord !

— Elle nous entraînerait dans sa chute.

Klaus se tut. Sa sœur disait vrai, et pourtant il brûlait d'envie de saisir à deux mains ce parachute de freinage. Il est toujours pénible, face à l'inéluctable, d'admettre son impuissance. Pour les aînés Baudelaire, regarder les bras ballants cette roulotte faire la culbute était proprement insoutenable.

Il y eut un dernier crissement, le temps pour le train arrière d'araser un dernier obstacle – une motte de roche et de terre –, puis le véhicule acheva de basculer et disparut dans le plus parfait silence.

Précautionneusement, les enfants s'avancèrent et tendirent le cou vers le précipice. Mais la brume grise en contrebas était si épaisse qu'ils eurent tout juste le temps de voir s'y enfoncer un rectangle minuscule qui disparut hors de leur vue.

— Pas de grand crac? s'étonna Klaus.

— Le parachute ralentit la descente, expliqua Violette. Mais tends l'oreille, ça va venir.

Et en effet, la seconde d'après, il y eut un baoum! étouffé. La roulotte avait trouvé sa fin. La brume masquait le spectacle, mais le doute n'était pas permis. Le véhicule et tout son contenu étaient irrémédiablement perdus. De fait, jamais je n'en ai retrouvé trace, malgré des mois passés à quadriller le secteur, avec pour toute compagnie une lampe de poche et un dictionnaire de rimes. Finalement, au lieu de perdre tant de nuits à me battre contre les moucherons des neiges et à prier le ciel pour que mes piles tiennent bon, j'aurais mieux fait de ne rien faire. Sur ce point comme sur d'autres, le destin avait décidé que je resterais bredouille.

Le destin est un étrange restaurant où l'on n'a pas choisi de s'attabler, dans lequel des serveurs bizarres apportent essentiellement des plats qu'on n'a jamais commandés et qu'on est loin de toujours apprécier. En leur âge tendre, les enfants Baudelaire avaient pu croire que leur destin était de grandir heureux et choyés dans la vaste demeure familiale, auprès de parents attentifs; or tout leur avait été enlevé, leurs parents comme la grande demeure. De même, au collège Prufrock, ils avaient pu croire que leur destin était de faire de solides études aux côtés de leurs amis Beauxdraps ; or ils n'étaient même plus certains de jamais revoir le collège, ni d'ailleurs les deux triplés. Et, pas plus tard que l'instant d'avant, ils auraient pu croire que leur destin était de plonger dans le vide ou dans des eaux glacées, or ils étaient sains et saufs, quoique éloignés de leur jeune sœur et sans l'ombre d'un moyen de transport pour aller la retrouver.

Ils se blottirent l'un contre l'autre. Le vent coupant des monts Mainmorte balayait le chemin peu passant et leur donnait la chair de poule. Ils contemplèrent un instant les remous sombres de la Frappée, puis le précipice embrumé, et leurs regards se croisèrent. Alors un frisson leur vint, à la pensée non seulement du sort qu'ils venaient d'éviter, mais surtout de tous les sorts possibles qui les attendaient encore.

CHAPITRE DEUX

Violette jeta un dernier coup d'œil au précipice noyé de grisaille, puis elle tira deux gros manteaux du petit tas de leur butin et commença à en enfiler un.

— Couvre-toi, dit-elle à son frère. On ne peut pas dire qu'il fasse chaud, et ça risque de se refroidir encore. Le fameux Q. G., si j'ai bien compris, est quelque part dans ces montagnes. Je te parie qu'avant d'y arriver, on aura tout ça sur le dos.

— Y arriver, dit Klaus, mais comment ? Le Sousbois aux neuf percées à tout vent, sauf erreur, ce n'est pas la porte à côté. Et ça manque de moyens de transport.

— Voyons ce que nous avons sous la main. Peutêtre que dans ce petit bataclan, je vais trouver de quoi nous bricoler un truc.

— Espérons. Parce que, en attendant, Prunille s'éloigne à toute vitesse.

Klaus s'emmitoufla dans le deuxième manteau, puis il aida sa sœur à étaler au sol leur maigre trésor. Alors les deux enfants comprirent que bricoler un moyen de transport n'était pas dans l'ordre du possible, expression signifiant ici : « était tout simplement impensable à partir de deux ou trois fringues et pauvres objets ayant naguère appartenu à de modestes monstres de foire ».

Violette rattacha ses cheveux bien haut et fronça les sourcils sur le petit bric-à-brac sauvé du désastre. Du côté de Klaus, il y avait le broc, encore tout gluant de la mixture poisse-roues, le miroir à main de Bretzella, un poncho de laine informe et un survêtement TTG clamant : J'adore Caligari Folies. De son côté à elle, il y avait le couteau à pain, l'ukulélé, un troisième manteau... et là s'arrêtait la liste. Même Klaus, pourtant moins ferré que son aînée en mécanique, ne se fit pas longtemps d'illusions. Rien de ce qui s'étalait là ne convenait à la fabrication d'un véhicule quelconque.

— On pourrait peut-être frotter deux cailloux, suggéra Violette, et en tirer des étincelles. Ou jouer très fort de l'ukulélé, ou faire du tam-tam sur le broc pour attirer l'attention.

— L'attention de qui ? dit Klaus, scrutant la brumaille. On n'a pas croisé âme qui vive depuis le parc Caligari. Ça me rappelle un poème que j'ai lu un jour, l'histoire d'une longue balade sur un chemin peu passant.

— Il finissait bien, au moins, ce poème ?

— Ni bien ni mal. C'était ambigu. Bon, ramassons cet attirail, qu'au moins on l'emporte avec nous.

— Mais l'emporter où ? On n'a pas la moindre idée de la direction à prendre !

— Alors là, je t'arrête. Souviens-toi de la carte. La Frappée prend sa source quelque part là-haut et, pour descendre ici, elle passe par le Sous-bois aux neuf percées à tout vent, ça ne te dit rien ? C'est là qu'est le Q. G. ! Il suffit donc de remonter son cours. Ce n'est sans doute pas le plus court chemin, ni le plus facile à suivre. Mais il devrait nous mener à bon port.

— Ça risque de prendre des jours et des jours, répliqua Violette. Et nous n'avons ni carte, ni provisions, ni tente, ni duvet, ni rien pour camper.

— On pourra toujours s'enrouler dans ces fringues et se trouver un abri pour la nuit. D'après la carte, rappelle-toi, c'est truffé de sites d'hibernation – tu sais bien, tous ces petits rectangles. La plupart sont sans doute des cavernes dans la roche.

Les deux enfants se turent. Passer la journée à gravir des pentes, puis passer la nuit enveloppés dans les vêtements d'un autre, au creux d'une caverne où pourraient bien loger des bêtes féroces, la perspective n'avait rien de réjouissant. Violette et Klaus se prirent à regretter de n'avoir pas emprunté une autoroute plutôt qu'un chemin peu passant, et un véhicule climatisé plutôt qu'une roulotte sans freins. Mais les regrets sont, comme les souhaits, pareils à la gorgée de champagne qu'on savoure en regardant s'éteindre les bougies du gâteau d'anniversaire. Une façon douce-amère de passer le temps – or le moment était mal choisi pour passer le temps. Mieux valait se mettre en route, et vite.

Klaus glissa donc le petit miroir et l'ukulélé dans ses poches de manteau, puis il saisit le poncho d'une main et le broc gluant de l'autre. Violette fourra le couteau à pain au fond de sa grande poche et prit sous son bras l'immense survêtement et le manteau en trop. Après quoi, sur un dernier regard vers l'endroit où la roulotte avait fait le grand saut, les deux enfants se mirent en marche le long de la Frappée, vers l'amont.

S'il vous est arrivé de cheminer longuement avec un proche, vous savez qu'il est des moments où l'on a envie de dialoguer et d'autres où l'on préfère le silence. Cette première partie du trajet, pour les aînés Baudelaire, était un moment de silence. Tout en marchant, marchant, marchant vers les hauteurs et vers ce mystérieux Q. G. qu'ils espéraient y trouver, les deux enfants se laissaient imprégner de la morne mélodie du vent, pareille à la plainte qu'on obtient en soufflant au goulot d'une bouteille, et des petits bruits de ventouse émis par les poissons, étrangement nombreux à venir pointer la tête à la surface des eaux. Mais ni l'un ni l'autre n'était d'humeur à converser, chacun trop absorbé par ses propres pensées.

Violette vagabondait du côté de la Société des noirs protégés de la volière, où les trois enfants avaient été accusés du meurtre d'un mystérieux Jacques Snicket qu'Olaf avait fait passer pour lui-même. Ils étaient parvenus à s'évader de prison et à tirer des griffes du comte leurs amis de collège, Isadora et Duncan Beauxdraps, mais pour se voir aussitôt séparés des deux triplés, lesquels avaient fui par la voie des airs à bord d'un engin volant mis au point par un certain Hector. Sans nouvelles depuis lors des Beauxdraps ni d'Hector, Violette se demandait où se trouvaient leurs amis, s'ils étaient sains et saufs, et s'ils en savaient plus long sur cette société secrète qu'ils avaient découverte, du nom de S.N.P.V. Car les enfants Baudelaire avaient eu beau enquêter, ils ne savaient toujours rien des buts de ce groupe énigmatique, ni à quoi corres-pondaient ces quatre lettres, S.N.P.V. Ils espéraient en apprendre plus long en gagnant le Sous-bois aux neuf percées à tout vent, où cette société avait son Q. G. Mais à présent, tout en longeant l'eau sombre, les yeux baissés pour regarder où elle mettait les pieds, l'aînée des Baudelaire était prise de doutes : sauraient-ils jamais le fin mot de l'histoire ?

À ses côtés, Klaus songeait aussi aux Beauxdraps, mais lui revoyait plutôt leur rencontre à l'Institut J. Alfred Prufrock. Les collégiens, dans l'ensemble, n'avaient guère fait preuve de chaleur envers les trois orphelins, et surtout pas une certaine peste du nom de Carmelita Spats. Isadora et Duncan, au contraire, s'étaient montrés d'une rare gentillesse, et très vite Baudelaire et Beauxdraps avaient fait la paire, expression signifiant ici que les cinq enfants étaient devenus inséparables – ou séparables seulement par la force. L'une des sources de leur amitié était que tous les cinq avaient perdu des êtres chers. Les Baudelaire avaient perdu leurs parents, bien sûr, et les Beauxdraps avaient perdu non seulement leurs parents, mais encore leur frère triplé, Petipa. En songeant à eux, Klaus se sentait un peu coupable à l'idée que, peut-être, l'un de ses parents à lui était finalement toujours en vie. Un document déniché dans des archives semblait le suggérer. On y voyait une photo ancienne montrant les parents Baudelaire en compagnie de Jacques Snicket et d'un parfait inconnu, et la légende affirmait : « En raison de l'indice examiné p. 9, les experts estiment aujourd'hui que l'incendie pourrait bien avoir laissé un survivant, mais nul ne sait pour l'heure où celui-ci se trouve. » Ce document, Klaus l'avait dans sa poche, bien rangé avec les précieuses pages de carnet que Duncan Beauxdraps avait réussi à leur transmettre. Oui, tout en cheminant aux côtés de son aînée, Klaus songeait à l'énigme S.N.P.V., il songeait à leurs amis – il y songeait si fort que, lorsque Violette rompit le silence, ce fut comme si elle l'arrachait à un long rêve un peu confus.

— Au fait, dit-elle soudain, tout à l'heure, dans la roulotte, au moment de tester mon invention, tu voulais me dire quelque chose. C'était quoi ?

— Je ne sais plus, avoua-t-il. Je crois que c'était juste au cas où... au cas où ton invention n'aurait pas marché. (Il ravala un soupir, les yeux sur le ciel qui s'assombrissait.) J'ai complètement oublié les derniers mots que j'ai dits à Prunille, reprit-il à mi-voix. C'était sans doute dans la tente de Mme Lulu, ou alors au-dehors, juste avant de monter dans la roulotte. Si j'avais su qu'Olaf allait nous séparer, j'aurais essayé de lui dire quelque chose de spécial. Peut-être la complimenter pour cette pointe de cannelle dans le chocolat chaud, ou pour ses talents de comédienne dans le rôle de bébé mi-loup.

— Tu le lui diras, affirma Violette. Très bientôt. Quand on la reverra.

— Espérons, dit Klaus d'un ton sombre. Sauf qu'Olaf et sa troupe ont pris tellement d'avance...

— Mais nous savons où ils vont, n'oublie pas. Et nous savons qu'Olaf ne touchera pas à un cheveu de la tête de Prunille. Il est persuadé de nous avoir liquidés, donc il a besoin d'elle pour empocher l'héritage.

— Bon, d'accord, il ne lui fera sans doute aucun mal. Mais je suis sûr qu'elle est terrorisée. Je voudrais qu'au moins elle sache que nous venons à sa rescousse.

— Ça, reconnut Violette, moi aussi, j'aimerais bien.

Et le silence retomba, troublé seulement par les lamentations du vent et par ces curieux gargouillis qu'émettaient les poissons à chaque instant.

— Tu sais quoi ? dit Klaus tout à coup. J'ai l'impression que ces poissons étouffent. Quelque chose dans leur eau les fait tousser.

— Peut-être que la Frappée n'a pas toujours cette vilaine couleur. À ton avis, qu'est-ce qui pourrait lui donner cet aspect de soupe à l'encre ?

— Un gisement de charbon, je dirais, suggéra Klaus, s'efforçant de rassembler ses souvenirs de lectures sur la pollution des eaux. Ou peut-être un dépôt d'argile, brassé par un séisme ou tout autre accident géologique. À moins qu'il ne s'agisse d'un polluant. Il y a peut-être une usine d'encre ou de réglisse dans les environs.

— Peut-être que les gens du Q. G. sauront nous le dire, quand nous y serons.

— Peut-être qu'un de nos parents nous le dira, murmura Klaus.

— Tu sais, le prévint Violette, il vaudrait mieux ne pas trop espérer. Même si l'un de nos parents a bel et bien échappé au feu, même si le Q. G. de S.N.P.V. est bel et bien dans ce Sous-bois aux neuf percées à tout vent, difficile de savoir ce que nous allons trouver là-bas.

— Et qui nous interdit d'espérer? protesta Klaus. Remonter un cours d'eau pollué sur des kilomètres et des kilomètres pour délivrer une petite sœur kidnappée par un monstre, ça n'a rien de bien affriolant. Un peu d'espoir, je t'avoue, je n'aurais rien contre.

Violette s'arrêta net.

— Et moi, je n'aurais rien contre une épaisseur de plus. Ça commence à pincer drôlement, je trouve.

— Tu as raison, dit Klaus, s'arrêtant aussi. Tu préfères le survêtement ou le poncho?

— Oh! le poncho, si ça ne t'ennuie pas. Faire de la pub pour Caligari, merci bien!

— Ce n'est pas que j'y tienne tellement non plus, avoua Klaus, troquant le poncho contre le survêtement criard. Mais tu sais ce que je vais faire? Le porter à l'envers.

Comme il faisait vraiment un froid de loup, aucun des deux enfants ne retira son manteau. Klaus enfila par-dessus le sien l'immense survêtement retourné comme une chaussette et Violette s'enveloppa dans le poncho, qui lui donnait l'aspect d'un fauteuil sous sa housse. Ils s'inspectèrent mutuellement et ne purent s'empêcher de rire.

— Tu veux que je te dise ? avoua Violette. C'est encore plus hideux que ces costumes à rayures fines qu'Esmé nous avait achetés.

— Ou ces affreux pulls qui grattaient, quand on était chez M. Poe, dit Klaus – car le banquier censé gérer leurs affaires, et dont ils étaient sans nouvelles, les avait hébergés un temps, juste après l'incendie. Bon, mais au moins ça tient chaud. Et si on est vraiment frigorifiés, on n'aura plus qu'à porter le dernier manteau à tour de rôle.

— Si l'un de nos parents est là-haut, dit Violette, combien je te parie qu'il ne nous reconnaîtra pas ? De loin, on doit ressembler à deux bottes de foin en marche.

Ils levèrent les yeux vers les escarpements rocheux et furent pris d'un léger vertige – moins à la vue de ces hauteurs qu'à la pensée des interrogations en suspens. Atteindre le Sous-bois aux neuf percées à tout vent à pied, était-ce seulement faisable ? À quoi pouvait bien ressembler ce Q. G. ? Quel accueil allait-on leur réserver, là-haut ? Le comte Olaf serait-il arrivé avant eux ? Allaient-ils y retrouver Prunille ? Y retrouver l'un de leurs parents ?

Sans mot dire, sous leurs pelures multiples, les deux enfants frissonnèrent. Puis Klaus rompit le silence avec une dernière interrogation, la plus vertigineuse de toutes.

— À ton avis, lequel de nos deux parents est en vie ?

Violette ouvrit la bouche pour répondre, mais à cette seconde surgit une autre question qui neutralisa totalement l'attention des aînés Baudelaire.

C'est une question assez abominable, et tous ceux qui l'ont posée aimeraient mieux oublier ce jour. Mon frère l'a posée une fois, et il en a eu des cauchemars pendant des semaines. L'un de mes homologues a posé la question aussi, et s'est retrouvé en chute libre avant d'avoir entendu la réponse. Moi-même, je l'ai prononcée un jour, voilà longtemps, d'une voix timide, et pour toute réponse, une femme s'est coiffée d'un casque de motard tout en s'enveloppant d'une cape de soie rouge. Cette question, la voici : « Quelle est donc cette nuée de minuscules points blancs qui fonce vers nous en bourdonnant ? » Et la réponse, à mon grand regret, est la suivante : « Un essaim d'insectes diptères socialement organisés et notoirement agressifs, connus sous le nom de "moucherons des neiges". Hôtes des régions montagneuses froides, ils tendent à piquer tout ce qui bouge sans aucune raison apparente. »

— Hé ! tu as vu ? demanda Violette. Quelle est donc cette nuée de minuscules points blancs qui fonce vers nous en bourdonnant ?

Klaus regarda dans la direction indiquée et plissa le front.

— J'ai lu un truc, un jour, au sujet d'insectes des montagnes, mais je ne me souviens plus trop des détails.

— Essaie de te rappeler, le pressa Violette, les yeux sur la nuée qui grossissait à vive allure.

L'essaim de minuscules points blancs avait surgi au détour d'un rocher et, de loin, on aurait pu croire à une rafale de neige. Mais à présent les flocons s'organisaient en formation serrée, en V ou en pointe de flèche, et fonçaient droit sur les enfants avec un bourdonnement de plus en plus aigu, comme exaspéré.

— Ah ! ça me revient, dit Klaus. Ça pourrait bien être des moucherons des neiges. Ils vivent dans les régions montagneuses froides et sont connus pour leur capacité à voler en formation serrée, au contour bien défini.

— Des moucherons ? Tu me rassures. Les moucherons, c'est inoffensif. J'aime mieux ça, étant donné que je vois mal comment leur échapper.

— Ils ont autre chose de spécial, je crois, reprit Klaus, mais je n'arrive plus à retrouver quoi.

L'essaim s'approcha des enfants, la pointe du V presque au ras de leur nez, puis stoppa net et fit du sur-place, bourdonnant avec rage. L'étrange face-à-face dura une seconde à peine, une seconde de tension extrême, puis le moucheron de la pointe du

V fusa en avant et piqua Violette sur le bout du nez avant de regagner l'essaim comme si de rien n'était.

— Aïe ! fit Violette. Mais ça pique, ces sales bêtes !

— Oui, ça y est, ça me revient ! dit Klaus. Les moucherons des neiges sont agressifs et tendent à piquer tout ce qui bouge sans aucune raison app...

Il n'acheva pas sa phrase. Un moucheron venait de démontrer sur sa joue le bien-fondé de ses dires.

Là-dessus, la flèche se mit à onduler, puis à se transformer à vue d'œil en large cercle bourdonnant, et les enfants se retrouvèrent au centre d'un cerceau furibond. Chaque insecte était si petit qu'on ne distinguait rien de lui, mais les enfants auraient juré que tous arboraient un sourire satanique.

— Euh... s'inquiéta Violette. La piqûre est venimeuse ?

— Très peu, si je me souviens bien. Mais c'est toujours pareil : une ou deux piqûres par-ci, par-là, pas de problème. En revanche, si c'est tout un essaim qui te pique, ça peut te rendre bien malade. Ouille !

Un autre moucheron venait de goûter au lobe de son oreille.

— Essayons de ne pas bouger, dit Violette. J'ai toujours entendu dire qu'avec les insectes piqueurs, tant qu'on les laisse tranquilles, on peut être tranquille.

— C'est rarement vrai, la contredit Klaus. Et moins encore pour les moucherons des n... Ouille! Aïe! Ouille!

— Mais alors, qu'est-ce qu'... Aïe! fit Violette.

— Je n'en... Ouille!

L'instant d'après, il n'était même plus question d'essayer d'ouvrir la bouche. Le cercle de moucherons se mit à tournoyer plus vite encore, façon tornade blanche. Puis, en une série de manœuvres qui avaient dû exiger de longues répétitions, les insectes entreprirent de piquer leurs victimes tantôt d'un côté, tantôt de l'autre. Violette poussa un cri aigu – trois ou quatre moucherons d'un coup venaient de lui mordre le menton. Klaus laissa échapper un jappement – ils étaient au moins six ou sept à lui déguster l'oreille gauche. Et tous deux se mirent à hurler en chœur lorsque, tentant de mettre l'agresseur en fuite, ils se firent piquer les mains, du poignet au bout des doigts.

Les moucherons piquaient sur la droite, les moucherons piquaient sur la gauche. Ils descendaient en piqué pour piquer, les enfants s'accroupissaient. Ils attaquaient par-dessous, les enfants se mettaient sur la pointe des pieds. Et le bourdonnement se faisait suraigu, comme pour mieux signifier à quel point les moucherons prenaient du plaisir à piquer. Violette et Klaus fermèrent les yeux, collés l'un à l'autre, n'osant marcher à l'aveuglette de peur de plonger dans le ravin ou dans les remous noirs de la Frappée.

— Le manteau! parvint à crier Klaus, recrachant aussitôt le moucheron qui venait de se ruer sur sa langue.

Violette comprit instantanément. Déployant le manteau qu'elle tenait sous son bras, elle le jeta par-dessus sa tête et celle de son frère comme on bâche un meuble de jardin sous l'averse. Les moucherons redoublèrent de fureur, bien décidés à se glisser là-dessous pour piquer de plus belle, mais ils durent se résigner à ne plus piquer que les mains qui tenaient le lainage en place. Sous leur abri, grimaçant de douleur à chaque piqûre, les deux enfants se remirent en marche tant bien que mal, regardant à leurs pieds.

— Jamais on n'arrivera au Sous-bois aux neuf percées à tout vent de cette façon, dit Violette sous le manteau. Il n'y a vraiment aucun moyen de les envoyer promener?

— Le feu les fait fuir, se souvint Klaus. Dans le bouquin que j'ai lu, l'auteur disait que même l'odeur de la fumée suffit à tenir un essaim à l'écart. Mais tu nous vois faire un feu sous un manteau?

— Aïe! glapit Violette, qu'un moucheron avait piquée au pouce sur une piqûre encore cuisante.

Les deux enfants venaient de passer l'arête au détour de laquelle l'ennemi avait surgi. Par la fente d'une poche décousue, Klaus entrevit une tache sombre au flanc de la roche.

— Hep ! fit-il, je crois bien que c'est l'entrée d'une caverne que je vois là. On pourrait peut-être aller faire un feu à l'intérieur ?

— Peut-être, répondit Violette. Et rendre fou furieux quelque bestiau en train d'hiberner.

— Des bestiaux fous furieux, lui fit remarquer Klaus – manquant de lâcher son broc à cause d'une piqûre féroce au poignet –, on en a déjà aux trousses. Plusieurs milliers, au bas mot. Pas comme si on avait le choix ! Moi, je dis : jouons le tout pour le tout ; réfugions-nous dans cette caverne.

Violette risqua un coup d'œil. Jouer le tout pour le tout, c'est un peu comme prendre un bain de mer. Parfois, se mettre à l'eau vaut le coup, parce que ensuite on se sentira voluptueusement bien. Mais parfois aussi, quelque chose d'horrible se cache dans les algues, qu'on n'aperçoit que bien trop tard, lorsqu'il n'y a plus rien d'autre à faire que de hurler en se cramponnant à son canard gonflable.

Sans bruit, retenant leur souffle, les deux enfants s'approchèrent de la trouée sombre, attentifs à ne pas dévier vers le ravin et à garder le manteau bien serré autour d'eux afin d'interdire tout accès aux moucherons. Mais ce qui les terrifiait le plus, en cet instant de suspense, ce n'était pas le ravin, ni la rage urticante des moucherons. C'était l'idée de

jouer le tout pour le tout dans une caverne héber-
geant peut-être quelque bête féroce.

Les deux jeunes Baudelaire, il va de soi, n'avaient
encore jamais mis les pieds dans cette caverne et,
pour autant que je sache, ils ne les y remirent jamais,
pas même en redescendant de la montagne avec leur
petite sœur retrouvée. Et cependant, au creux de cet
antre dans lequel ils s'introduisaient en tremblant
les attendaient deux choses connues d'eux.

La première était le feu. Sitôt à l'intérieur, tous
deux comprirent qu'ils n'avaient plus à se soucier
des moucherons, car l'endroit sentait la fumée à
plein nez et d'ailleurs, là-bas, tout au fond, on devinait le rougeoiement de flammes. Pour eux, le feu
n'était certes pas un ami, mais pas un étranger non
plus ; ici, il pouvait se faire allié.

Mais lorsque les deux enfants, hésitants, firent
trois ou quatre pas de plus, ils eurent la seconde
surprise de reconnaître la voix d'une personne
familière – une personne, pour être précis, qu'ils
auraient beaucoup mieux aimé ne plus jamais
rencontrer.

— Hé ! espèces de pifgalettes ! grinça cette voix
au fond de la caverne. Qui vous a invités ?

Et ce son aigre, pour un peu, leur aurait fait
regretter de n'être pas restés plutôt en compagnie
des moucherons des neiges.

CHAPITRE
III

Peut-être vous demandez-vous pourquoi nous sommes toujours sans nouvelles de Prunille au bout de deux longs chapitres. Il y a plusieurs raisons à cela.

Pour commencer, j'ai eu infiniment plus de peine à reconstituer le parcours de Prunille dans la voiture du comte Olaf que celui de ses aînés. Les traces de pneus d'une automobile sont éminemment fugaces, pour ne rien dire des avalanches qui ont emporté le plus clair de la route. Quant aux rares témoins du trajet d'Olaf, la plupart ont disparu dans des circonstances plus que troubles, et les autres, par frayeur sans doute, se sont bien gardés de répondre à mes demandes d'interview, par lettre ou par télégramme ou par gentille carte de vœux. Enfin, même les papiers gras et mégots jetés par les vitres des portières – signe le plus sûr que des gens sans scrupules sont passés par là –, même ces traces-là avaient disparu sans laisser d'adresse dès le tout début de mon enquête. Cette absence de détritus est en soi une bonne nouvelle : elle signifie que certains des hôtes des monts Mainmorte ont regagné les lieux et rebâti leur gîte, mais elle ne m'a pas facilité la tâche pour retracer l'itinéraire de Prunille.

Cela dit, si vous tenez à savoir ce que vécut Prunille tandis que ses aînés stoppaient la roulotte dans sa course folle, puis remontaient à pied le long de la Frappée tout en se battant contre les moucherons des neiges, je peux vous conseiller une lecture qui vous en donnera une idée assez juste. C'est une histoire intitulée Cendrillon. Cendrillon était une jeune personne entre les mains de mauvaises gens qui lui faisaient mille misères et se déchargeaient sur elle de toutes les corvées imaginables. Cendrillon fut finalement sauvée par sa marraine-fée, qui la vêtit d'habits somptueux d'un seul coup de baguette magique, puis l'envoya en carrosse à un bal où la demoiselle fit la rencontre d'un prince charmant qui bientôt l'épousa, après quoi ils vécurent heureux et eurent beaucoup d'enfants. Remplacez le nom « Cendrillon » par celui de « Prunille Baudelaire » et vous aurez, grosso modo, l'histoire – du moins en supprimant la marraine-fée, les beaux habits, le bal, le prince charmant et la progéniture. Mais pour le reste, durant tout l'épisode, Prunille Baudelaire ressembla fort à Cendrillon.

— J'aimerais bien que cette petite larve arrête de pleurnicher comme ça, grogna le comte Olaf, fronçant son unique sourcil sur un énième virage en épingle à cheveux. Rien de tel pour vous gâcher une balade en voiture qu'un bébé kidnappé qui braille.

— Eh! je la pince tant que je peux, protesta Esmé d'Eschemizerre, pinçant le petit bras de Prunille entre deux ongles vernis. Mais pour lui clouer le bec, rien à faire!

— Écoute un peu, petite tête de brochet! siffla le comte Olaf, détachant les yeux de la route pour fusiller la gamine du regard. Si tu n'arrêtes pas de pleurer tout de suite, tu vas voir ce que je vais te faire, moi – et au moins, comme ça, tu pleureras pour quelque chose!

Prunille eut un petit gémissement excédé, et elle s'essuya les yeux de ses mains menues. Il était parfaitement exact qu'elle n'avait guère cessé de pleurer depuis le matin, tout au long d'un trajet si alambiqué qu'aucun enquêteur, jamais, ne pourrait le retracer. Et à présent encore, au coucher du soleil, rien ne semblait pouvoir la calmer.

Pourtant, les dernières paroles du comte l'agaçaient davantage qu'elles ne lui faisaient peur. Quoi de plus horripilant, en effet, que de s'entendre dire, quand on pleure, que si on n'arrête pas de pleurer, on va s'attirer des ennuis, si bien qu'on pleurera pour quelque chose ? Comme si on n'avait pas déjà d'excellentes raisons de pleurer ! Comme s'il en fallait une de plus !

Prunille Baudelaire, en tout cas, estimait avoir d'excellentes raisons de pleurer. Elle se rongeait les sangs pour ses aînés et se demandait comment ils allaient faire pour stopper une roulotte sans freins dévalant une route pentue, tout au bord du gouffre. Elle n'était pas rassurée non plus de se voir coincée sur les genoux d'Esmé, surtout après qu'Olaf lui eut arraché sa fausse barbe et corné aux oreilles qu'il savait qui elle était. Enfin, se faire pincer à tout bout de champ n'avait rien de confortable, surtout après des heures de ce jeu.

— Pâpince, dit-elle à Esmé, pour la cinquantième fois peut-être.

Mais l'élégante mégère, pour la cinquantième fois peut-être, fit mine de ne pas comprendre.

— Quand elle n'est pas en train de brailler, cette petite bécasse baragouine je ne sais quel jargon débile. Je ne saisis pas un mot de ce qu'elle dit.

— Les enfants kidnappés sont toujours affreusement casse-pieds, déclara l'homme aux crochets (qui était sans doute, de toute la bande, celui que Prunille appréciait le moins). Vous vous souvenez, patron, quand on avait ces Beauxdraps sur les bras ? Ils n'arrêtaient pas de rognonner. Du matin au soir ils rognonnaient. Et rogne que je te rogne quand on les avait mis dans une cage. Et rogne que je te rogne quand on les avait mis dans cette fontaine. Rogne, rogne, rogne. J'en avais tellement ras la casquette que j'ai presque été soulagé quand ils nous ont filé entre les doigts.

— Soulagé ? jappa le comte Olaf. Après tout le mal qu'on s'était donné pour décrocher la fortune Beauxdraps ? Et au bout du compte, pas un saphir, pas un rond, rien. Chou blanc sur toute la ligne.

— Ne vous le reprochez pas, Olaf, dit l'une des dames poudrées, sur la banquette arrière. Des erreurs, tout le monde en commet.

— Oui, mais cette fois, gloussa Olaf, c'est du zéro faute. Cette fois, avec les deux aînés en galette quelque part au fond d'un ravin et la mouflette sur tes genoux, Esmé, la fortune Baudelaire, je la tiens ! Une fois là-bas, au Sous-bois aux neuf percées à tout vent, une fois ce Q. G. retrouvé, nous n'aurons plus un souci au monde.

— Comment ça ? demanda Féval le bossu – qui avait été, la veille encore, monstre professionnel au parc Caligari.

— Oui, vous voudriez bien nous expliquer tout ça, s'il vous plaît ? pria Otto l'ambidextre, autre monstre de foire recruté par Esmé. N'oubliez pas, patron : nous autres, on est nouveaux dans le métier. On est encore loin de s'y retrouver.

— C'est vrai, dit l'une des dames poudrées. Moi, je me rappelle, le jour où je suis entrée dans la troupe, je n'avais jamais entendu parler du dossier Snicket.

— Quand on travaille pour moi, grogna Olaf, on apprend sur le tas. J'ai autre chose à faire que de vous enseigner le b. a.-ba du métier. Je suis un homme très occupé.

— Moi, je peux leur expliquer, patron, avança l'homme aux crochets. Voilà. Le comte Olaf, comme tout homme d'affaires digne de ce nom, a commis un certain nombre de crimes en tout genre.

— Mais ces crétins de S.N.P.V., enchaîna Esmé, ont réuni toutes sortes de pièces à conviction – autrement dit, des preuves qui pourraient nous faire condamner – et ils les ont classées dans des dossiers. J'ai essayé de leur faire comprendre que le crime est très tendance par les temps qui courent, mais ça ne leur a fait ni chaud ni froid.

Prunille écrasa une larme et soupira. À la limite, elle aimait encore mieux se faire pincer qu'entendre Esmé entonner son refrain sur ce qui était ringard ou à la pointe de la mode. Et, apparemment, dire *in* était *out*, justement. Désormais, on disait : « très tendance ».

— Enfin bref, reprit l'homme aux crochets, il faut qu'on supprime ces pièces, sinon Olaf pourrait se retrouver derrière les barreaux, et nous aussi. Et tout donne à penser que le dossier qui nous tracasse le plus se trouve au quartier général de S.N.P.V.

— Mais c'est quoi, au juste, S.N.P.V. ? s'enquit Bretzella la contorsionniste, roulée en boule sur le plancher arrière afin de prendre le moins de place possible, sur ordre du comte Olaf.

— Top secret ! Désolé, gronda le comte par-dessus son épaule, au grand dépit de Prunille. Ce truc-là, j'en ai fait partie, dans le temps. Puis j'ai découvert que c'était bien plus drôle de se mettre à son compte.

— Ce qui veut dire ? questionna l'homme aux crochets.

— Ce qui veut dire : « s'adonner au crime », traduisit Esmé. Et le crime, je viens de l'expliquer, c'est ce qu'il y a de plus tendance ces temps-ci.

— Fossdeff ! hoqueta Prunille malgré elle, à travers ses larmes.

Autrement dit : « Sottises ! "Se mettre à son compte" signifie "travailler en autonome et non au sein d'une société". Rien à voir avec le crime. On peut être à son compte et parfaitement honnête. » Et elle eut le cœur serré à l'idée qu'ici nul ne la comprenait.

— Encore à baragouiner, moucheronne ? dit
Esmé. Voilà pourquoi j'ai décidé de ne jamais avoir
d'enfants. Sauf à mon service, bien sûr.

— Vous savez quoi ? coupa Olaf. Ce trajet est
bien plus facile que prévu. D'après la carte, plus que
deux ou trois cavernes et on y est.

— Il y aura un hôtel, près de ce Q. G. ? s'avisa
Esmé.

— Je crains bien que non, mon cœur. Mais
n'oublie pas. Dans le coffre, j'ai deux grandes tentes
de camping. Nous allons camper sur le mont Augur,
le point culminant des monts Mainmorte.

— Culminant ? se récria Esmé. Il va y faire un
froid de canard.

— Ça, il y a de fortes chances, reconnut Olaf.
Mais le Printemps des fous est tout proche, il devrait
y avoir un redoux.

— Oui mais... cette nuit ? s'inquiéta Esmé. En
tout cas, ne comptez pas sur moi pour monter une
tente par ce temps de chien. Le camping à la dure,
c'est passé de mode!

Le comte se tourna vers elle en ricanant, et
son haleine pestilentielle manqua d'asphyxier
Prunille.

— Tu plaisantes ? Tu n'enfonceras pas un seul
piquet, ma jolie. Tu resteras bien au chaud dans la
voiture avec nous tous, pendant que la mouflette
montera le camp pour nous.

Une tempête de hourras salua ces mots, et toute la voiture s'emplit d'un cocktail d'haleines fétides. Prunille sentit rouler sur ses joues deux ou trois larmes nouvelles, et elle se tourna vers la portière afin de n'en rien laisser voir. À travers la vitre encrassée, on devinait les étranges crêtes carrées des monts Mainmorte et les eaux sombres de la Frappée que longeait la route.

À ce stade, la voiture avait tant monté que le cours d'eau était largement pris en glace et Prunille, les yeux sur ce paysage insolite, se demandait où pouvaient bien être ses aînés et s'ils venaient à son secours. Elle n'avait rien oublié de la première fois où elle s'était retrouvée seule entre les vilaines pattes d'Olaf. Ce jour-là, pour son coup tordu, le scélérat avait enfermé la petite, ligotée comme une paupiette, dans une cage à tourterelle qu'il avait accrochée très haut à la fenêtre d'une tourelle. La benjamine des Baudelaire avait été si terrorisée qu'en cauchemar, elle entendait encore la cage grincer dans la brise et revoyait ses aînés petits comme des fourmis, tout en bas. Mais Violette avait confectionné un grappin pour escalader la tourelle et Klaus avait dévoré, durant toute une nuit, d'horribles textes de loi pour déjouer l'odieuse manigance. Cette pensée rassurait Prunille. Tout en regardant défiler les ravins et les escarpements, elle se disait qu'à n'en pas douter ses aînés allaient venir à son secours.

— On y restera combien de temps, sur ce mont Augur ? s'enquit Féval.

— Jusqu'à ce que j'annonce qu'on s'en va, laissa tomber le comte Olaf.

— Un truc à savoir, les nouveaux, déclara l'homme aux crochets : dans ce métier, on poireaute pas mal. Moi, j'ai toujours sur moi de quoi meubler les temps morts, du style jeu de cartes, ce genre de choses.

— C'est pas tous les jours folichon, il faut reconnaître, renchérit l'une des dames poudrées. Et il y a des risques professionnels, aussi. Ces derniers temps, on a perdu plusieurs collègues assez brutalement.

— Mais ça valait le coup, assura Olaf d'un ton léger signifiant clairement : « Bah ! ce n'était pas une grosse perte. » Parfois, il faut accepter certaines disparitions violentes – dans les flammes ou dans la gueule de lions. Tout ça, c'est pour une grande cause, une cause supérieure – je dirais même, c'est pour le bien suprême.

— C'est quoi, le bien suprême ? s'enquit Bretzella.

— Les sous ! glapit Esmé d'un ton gourmand. Les gros sous et la satisfaction de gagner. Et tout ça, nous allons l'obtenir grâce à la petite geignarde sur mes genoux ! Une fois l'héritage Baudelaire empoché, à nous la belle vie. À nous aussi toutes les facilités pour mettre au point des tas d'autres combines juteuses!

Toute la troupe applaudit et le comte Olaf dédia à Prunille un grand sourire aux dents jaunes. La voiture acheva de gravir un sentier pierreux, elle déboucha sur un plateau saupoudré de neige éparse et son conducteur, sans préavis, donna un coup de frein et coupa le moteur, juste comme les derniers rayons du couchant achevaient de s'éteindre dans le ciel du soir.

— Nous y voilà, annonça le comte, et il tendit les clés à Prunille. Toi, la moucheronne, tu descends, tu sors les affaires du coffre et tu montes les deux tentes.

— Oui, mais d'abord, dit Esmé, tu nous apportes des chips. On ne va pas attendre comme ça le ventre creux.

Elle ouvrit la portière, déposa Prunille sur le sol gelé et referma d'un coup sec. L'air glacé des montagnes enveloppa la petite et lui arracha un frisson. Il faisait si froid, tout là-haut, que les larmes de Prunille gelèrent aussitôt, formant sur ses joues un petit masque de glace. D'un pas branlant, la benjamine des Baudelaire gagna l'arrière du véhicule. Un bref instant, elle hésita : et si elle en profitait pour filer ? Oui, mais... filer où ? Elle jeta un coup d'œil à la ronde. Non, l'endroit n'était guère accueillant pour un bout de chou de son espèce.

Le sommet du mont Augur formait un petit plateau carré, à peine plus grand qu'un pré à chèvre, et, tout en contournant la voiture pour gagner le coffre à l'arrière, Prunille jeta un coup d'œil rapide de chaque côté du carré, les dents serrées contre le vertige. Sur trois côtés, on avait vue sur les monts voisins, eux aussi à sommet carré et presque tous vêtus de plaques de neige. Entre eux sinuaient, en contrebas, les eaux sombres de la Frappée, et le chemin rocailleux qu'avait suivi la voiture. Mais sur le quatrième côté, Prunille découvrit un spectacle étrange – si étrange qu'il lui fallut quelques instants pour saisir de quoi il s'agissait.

Sur le flanc ouest du plus élevé des monts Mainmorte, toute la pente était tapissée de blanc étincelant, un peu comme si un rouleau de papier cadeau s'était débobiné jusqu'en bas, ou peut-être comme une aile de cygne gigantesque. Prunille regarda un instant le tout dernier rayon du couchant baigner de cuivre la partie haute, et elle finit par comprendre : c'était la source de la Frappée !

Comme bon nombre de cours d'eau, la Frappée prenait sa source dans la montagne, au creux des rochers. L'été, elle devait former un torrent impressionnant. Mais on n'était pas en été, et la cascade était prise en glace, changée en longue pente glissante qui disparaissait dans la pénombre en contrebas. C'était un spectacle tellement irréel que Prunille ne se demanda pas immédiatement pourquoi cette glace était si blanche, alors que les eaux de la Frappée lui avaient paru si noires, en bas, à travers la vitre de la voiture.

Tuuut ! Un impérieux coup d'avertisseur rappela Prunille à ses devoirs. Vite, elle ouvrit le coffre et dénicha un gros sac de chips qu'elle apporta à l'avant.

— Tu as pris ton temps, limaçonne ! grommela Olaf au lieu de dire merci. Maintenant, dépêche-toi de monter ces tentes, une pour Esmé et moi, l'autre pour la troupe, qu'on puisse dormir un peu !

— Et où est-ce qu'elle va dormir, la mouflette ? s'inquiéta l'homme aux crochets. Pas dans notre tente, j'espère ! J'ai entendu dire que c'était malsain de dormir avec un bébé.

— Pas dans la nôtre non plus, en tout cas ! se récria Esmé. Avoir un bébé sous sa tente, c'est complètement ringard.

— Qui a dit qu'elle dormirait dans une tente ? répondit Olaf. Il y a cette espèce de cocotte en fonte, dans le coffre, avec un couvercle – vous savez, un peu longue, je crois que c'est pour faire cuire le poisson. Elle pourra très bien dormir là-dedans.

— Tu es sûr ? questionna Esmé. Je te rappelle, mon chéri, qu'il nous faut l'un des orphelins en bon état pour toucher la fortune Baudelaire.

— Pas de problème. La fonte, c'est du solide. Il y a deux ou trois petits trous dans le couvercle, pour laisser échapper la vapeur ; ça lui suffira pour respirer. Elle y sera même à l'abri des moucherons des neiges.

— Moucherons des neiges ? s'informa Féval.

— Oui, des petits insectes agressifs et très bien organisés, expliqua Olaf, qui vivent dans les régions montagneuses froides et tendent à piquer tout ce qui bouge sans aucune raison apparente. J'ai toujours trouvé ces bestioles géniales.

— Papic, assura Prunille ; autrement dit : « Je n'ai pas vu un seul insecte, dehors. »

Mais personne ne l'écoutait.

— Vous ne craignez pas que cette petite s'échappe, si personne ne la surveille ? souligna Otto.

— Elle n'osera jamais, affirma Olaf. Et surtout, même si elle essayait, on aurait vite fait de la retrouver. C'est le gros avantage de camper au sommet. Si la chipie filait, ou si quelqu'un approchait, on le verrait de loin. Regardez cette vue, un peu ! D'ici, on peut repérer n'importe quoi, n'importe qui à des kilomètres à la ronde.

— Eurêka, laissa échapper Prunille.

Ce qui signifiait : « J'ai une idée » – ce que Prunille n'avait cependant pas eu l'intention de dire à voix haute.

— Arrête de pépier et mets-toi au travail, dents de lapin ! dit Esmé – et elle lui claqua la portière au nez.

Toute la troupe s'esclaffa et Prunille regagna l'arrière de la voiture pour ne plus voir ces goinfres s'empiffrer de chips à pleines poignées.

Monter une tente est en général plus exaspérant que drôle. Moi, toute cette toile et ces piquets qui refusent de coopérer me font préférer les hôtels ou les relais et châteaux – lesquels présentent de surcroît l'avantage de murs épais et d'un service à l'étage. Prunille, bien évidemment, avait en plus le désagrément de devoir s'en tirer seule, dans la nuit tombante et le vent glacé, alors que ses petites jambes étaient encore novices à la marche et qu'elle s'inquiétait pour ses aînés.

Mais la benjamine des Baudelaire avait une certaine expérience des travaux d'Hercule, expression signifiant ici : « Elle avait déjà accompli des tâches surhumaines. » Comme vous le savez sans doute, lorsqu'on s'attaque à une tâche surhumaine, il est bon de pouvoir se raccrocher à une pensée fortifiante. Par exemple, lorsqu'elle s'était battue en duel à la scierie Fleurbon-Laubaine, Prunille avait songé à ses aînés, à l'attachement qu'elle avait pour eux, et c'est ainsi qu'elle avait vaincu l'horrible Dr Orwell. Et lorsqu'elle avait escaladé la cage d'ascenseur, boulevard Noir, elle avait songé aux

Beauxdraps, qu'elle tenait tant à secourir, et c'est ainsi qu'elle s'était retrouvée très vite au dernier étage. Aussi, tout en creusant le sol gelé à petits coups de dents afin d'y planter les piquets, Prunille se raccrochait-elle à une pensée qui l'inspirait – et curieusement c'était une parole du comte Olaf en personne.

Oui, tout en montant les tentes, non sans quelques regards furtifs vers le torrent pris en glace, Prunille avait décidé, pour finir, de ne pas tenter de s'enfuir. Car si l'on pouvait repérer, depuis ce sommet, n'importe quoi, n'importe qui à des kilomètres à la ronde, cela signifiait aussi que, depuis des kilomètres à la ronde, on pouvait se faire repérer par n'importe quoi, n'importe qui.

Y compris par Violette et Klaus Baudelaire.

CHAPITRE
IV

Cette nuit-là fut un jour sombre. Certes, toutes les nuits sont des jours sombres, quand on y pense : la nuit n'est jamais qu'une version mal éclairée du jour, dû au fait que la Terre tourne sur elle-même afin d'appeler chacun, tour à tour, à sortir du lit et démarrer la journée avec une tasse de

café, ou avec un message secret sous forme d'avion de papier à lancer par la fenêtre. Mais dans la phrase ci-dessus, «jour sombre» signifie: «triste journée dans l'histoire des orphelins Baudelaire, comme dans l'histoire de S.N.P.V. et de tous les honnêtes gens aimant les livres et la lecture». Mais Violette et Klaus, bien sûr, n'avaient pas la moindre idée de la catastrophe qui achevait de se dérouler au-dessus d'eux, dans le Sous-bois aux neuf percées à tout vent. Pour l'heure, tout ce qu'ils savaient était qu'ils venaient d'entendre une voix qu'ils avaient espéré ne plus jamais entendre.

— Ouste! Fichez le camp, pifgalettes! C'est une caverne privée, ici!

— À qui donc parles-tu, Carmelita? s'enquit une deuxième voix, plus grave, celle d'un homme dans la force de l'âge.

— Je vois deux ombres qui viennent d'entrer, oncle Bruce, dit la première voix. Et ça m'a tout l'air de pifgalettes.

Des pouffements s'élevèrent au fond de la caverne. Klaus et Violette échangèrent un regard consterné. La voix familière était celle de Carmelita Spats, la chipie toutes catégories rencontrée au collège Prufrock. Carmelita, dès le premier jour, avait pris les orphelins en grippe et s'était fait un point d'honneur de leur rendre la vie infernale. Si vous êtes collégien vous-même ou si vous avez

des souvenirs de ce temps-là, vous savez probablement qu'il existe une Carmelita Spats par collège
et que, sitôt vos études terminées, vous espérez
bien ne plus jamais croiser son chemin. Or, les
deux aînés Baudelaire avaient suffisamment de
misères pour se passer de retrouvailles avec cette
mégère en herbe. Au son de sa voix, ils furent à
deux doigts de tourner les talons et de tenter le
tout pour le tout une fois de plus, du côté des
moucherons des neiges.

— Deux ombres ? demanda la voix grave. Ohé !
visiteurs. Veuillez annoncer qui vous êtes !

— Nous sommes euh... des voyageurs, répondit
Violette depuis l'entrée. Nous avons perdu notre
route et nous sommes tombés sur un essaim de
moucherons des neiges. Merci de bien vouloir nous
laisser faire halte ici le temps que la fumée les fasse
fuir, puis nous nous remettrons en chemin.

— Faire halte ici ? Pas question ! s'étrangla
Carmelita, plus aimable que jamais. C'est le campement des scouts des neiges, prêts à fêter le Printemps des fous et à me couronner reine. Pas de
pifgalettes pour tout gâcher !

— Allons, allons, Carmelita, dit la voix grave.
Les scouts des neiges sont censés être accommodants, l'oublierais-tu ? C'est ce qu'assure notre
devise, tu le sais bien, notre devise alphabétique
de scouts des neiges. Et ce serait montrer que nous

sommes accommodants, en effet, que d'offrir à ces inconnus l'hospitalité dans notre caverne.

— Pas envie d'être accommodante ! protesta Carmelita. C'est moi la reine du Printemps des fous, j'ai le droit de faire ce que bon me semble.

— Tu n'as pas encore été couronnée, Carmelita, rappela une voix de garçon d'un ton patient. Nous n'avons pas encore dansé autour du mât. Entrez, voyageurs, et venez vous asseoir près du feu ! Nous sommes heureux de vous accueillir.

— Bien parlé, mon garçon, dit la grosse voix grave. Tenez, scouts des neiges, récitons donc tous ensemble la devise alphabétique, celle que nous faisons serment de respecter.

Aussitôt, la caverne entière se mit à résonner des échos de jeunes voix récitant à l'unisson une litanie insolite, autrement dit : « ânonnant en chœur une suite de mots sans queue ni tête ».

— Nous sommes les scouts des neiges, accommodants, bien élevés, conquérants, décontractés, emblématiques, flegmatiques, galactiques, humains, inoffensifs, juvéniles, ketchupophiles, léonins, moutonniers, nonchalants, ordonnés, programmables, qualifiés, raisonnables, sophistiqués, timides, ultrasensibles, valeureux, waterproof, xylophones, yin-et-yang et zippés, soir et matin et jour et nuit, à jamais et pour la vie !

Violette et Klaus échangèrent alors un regard

perplexe. Comme bien des serments qui se récitent ou se chantent, celui-ci semblait assez saugrenu. Comment les scouts des neiges pouvaient-ils promettre d'être à la fois conquérants et timides ? Léonins et moutonniers ? Comment auraient-ils pu ne pas être juvéniles, quand même ils l'auraient voulu ? Pourquoi ajouter « pour la vie » après avoir déjà dit « à jamais » ? Enfin, que venait faire « xylophone » dans la liste ? Mais les deux enfants n'eurent pas le loisir de s'interroger. Sitôt la litanie achevée, les scouts respirèrent un grand coup et laissèrent échapper, bouche close, un long murmure qui faisait songer au gémissement du vent, ce qui semblait plus étrange encore.

— C'est mon passage favori, dit la grosse voix grave lorsque le son se tut. Le meilleur de la devise alphabétique, je trouve : le bruit de la neige à la fin. Et maintenant approchez, voyageurs, que nous puissions vous voir.

— Gardons ce manteau sur la tête, chuchota Klaus à sa sœur. Sinon, Carmelita va nous reconnaître.

— Et les autres risquent de nous avoir vus dans *Le petit pointilleux*, dit Violette, replongeant la tête sous le manteau.

Le petit pointilleux était le journal qui avait publié l'article accusant de meurtre le trio Baudelaire. Tout l'article était abracadabrant, bien sûr, mais apparemment le reste du monde y avait cru, et les enfants étaient bel et bien activement recherchés pour ce crime.

Violette et Klaus s'avancèrent vers les voix, hésitants, le manteau sur la tête – et c'est alors qu'ils découvrirent qu'ils n'étaient pas seuls à avoir le visage masqué.

Le fond de la caverne formait comme une vaste salle circulaire surmontée d'une voûte haut perchée. La danse des flammes jetait des lueurs orangées sur ses parois abruptes et tout autour du feu étaient assises quinze à vingt silhouettes, tournées vers les deux arrivants. L'une de ces silhouettes, Klaus et Violette le voyaient par la fente décousue, dominait très nettement le groupe. C'était probablement Bruce. Il portait un hideux costume à carreaux et tenait un cigare éteint à la main. Une autre, du côté opposé, était vêtue d'un gros pull de laine, mais pour le reste, les scouts des neiges étaient tous emmitouflés dans des combinaisons de ski rembourrées, d'un blanc étincelant, avec de grandes fermetures à glissière par-devant et, sur leurs manches boudinées, des flocons de neige stylisés de différents formats. Sur le dos figuraient les mots de la devise alphabétique imprimés en rose criard, et chacun portait sur la tête un bandeau blanc hérissé de flocons de neige en plastique, ainsi que le mot Brrr! écrit en fausses stalagmites de glace.

Mais Klaus et Violette ne s'attardèrent pas sur la neige plastifiée auréolant les têtes, ni sur les uniformes accommodants, bien élevés, et tout et tout, et zippés. Non, ce qui les intriguait, c'était les masques ronds et sombres qui recouvraient les visages, assez semblables à ceux que portent les escrimeurs – ces gens qui se battent en duel pour le plaisir et non pour l'honneur, ni pour secourir un auteur en danger. De même que les masques d'escrimeur, ceux-ci recouvraient toute la face d'un fin grillage, et dans le clair-obscur de la caverne, il semblait à Klaus et Violette que les scouts des neiges et leur moniteur n'avaient pas de visage, mais d'étranges trous noirs à la place.

— Ho ! les pifgalettes, dit l'un des masques (et les jeunes Baudelaire surent immédiatement lequel était Carmelita Spats). Ce que vous pouvez avoir l'air cruche, avec ce truc-machin sur la tête!

— C'est par timidité, improvisa Violette. Nous sommes tellement timides et ultrasensibles que, pratiquement, nous ne montrons jamais le bout du nez.

— Dans ce cas, vous allez vous sentir chez vous, déclara Bruce derrière son masque. Je m'appelle Bruce, mais vous pouvez m'appeler « oncle Bruce », même si je suis prêt à parier que je ne suis pas votre oncle. Bienvenue parmi les scouts des neiges, voyageurs, car ici nous sommes tous timides. En fait, nous sommes accommodants, bien élevés, conquérants...

Toute la bande reprit en chœur et les aînés Baudelaire, poliment, s'immobilisèrent pour attendre la fin de la litanie. Mais le garçon qui portait un gros pull se leva et s'approcha d'eux.

— Vous avez des masques de rab, là-bas, leur dit-il à mi-voix, désignant une pile de matériel dans un coin, à côté d'une grande perche de bois tout enrubannée. Ils vous protégeront des moucherons quand vous ressortirez.

— Merci, murmura Violette.

Et, tandis que les scouts des neiges s'engageaient à être éternellement ketchupophiles, léonins, moutonniers, son frère et elle saisirent deux masques et se les placèrent sur le visage, tant bien que mal, sous le manteau. Le temps pour les scouts de s'engager à être waterproof, xylophones, yin-et-yang et zippés, et les deux enfants étaient aussi masqués que les autres occupants de la caverne.

— Parfait, les enfants, déclara Bruce lorsque le chœur du blizzard se tut. Et maintenant, vous deux, que diriez-vous de devenir scouts des neiges ? Nous sommes une association dont le but est de former la jeunesse et de lui enseigner toutes sortes de choses. Par exemple, tels que vous nous voyez, nous sommes au milieu d'une excursion. Nous allons gravir le sommet du mont Augur pour y célébrer le Printemps des fous.

— Printemps des fous ? hasarda Violette, s'asseyant entre son frère et le scout au gros pull.

— Ne pas connaître le Printemps des fous ! s'écria Carmelita. Il faut vraiment être pifgalette. C'est quand l'hiver devient très doux, juste avant de redevenir glacial. On fête ça avec une danse en tournant autour d'un mât. (Du geste, elle indiquait la perche enrubannée, et les enfants Baudelaire s'aperçurent que tous les scouts portaient de gros gants d'un blanc étincelant.) Juste avant la danse, on couronne le meilleur de nous tous roi ou reine du Printemps des fous. Cette année, c'est moi la reine. En réalité, c'est moi tous les ans.

— Oui, mais ça, c'est parce que oncle Bruce est vraiment ton oncle, dit l'un des scouts.

— Même pas vrai ! protesta Carmelita. C'est parce que c'est moi la plus accommodante, bien élevée, conquérante, décontractée, emblématique, flegmatique, galactique, humaine, inoffensive, juvénile, ketchupophile, léonine, moutonnière, nonchalante, ordonnée, programmable, qualifiée, raisonnable, sophistiquée, timide, ultrasensible, valeureuse, waterproof, xylophone, yin-et-yang et zippée.

— Comment une personne peut-elle être xylophone ? ne put se retenir de demander Klaus. Xylophone n'est même pas un adjectif.

— C'est le seul mot en « x » qu'a trouvé oncle Bruce, glissa le scout au gros pull.

Et, à en juger par le ton, pour lui l'excuse ne valait guère.

— Pourquoi pas xénophobe? suggéra Klaus. Ou alors xénophile? Ce sont des mots qui veulent dir...

— On ne change pas la devise, coupa Bruce, levant son cigare éteint comme s'il s'apprêtait à le fumer à travers son masque. Chez les scouts des neiges, on ne change jamais rien, c'est toute l'idée de la chose. On fête le Printemps des fous chaque année, toujours sur le mont Augur, juste au-dessus de la source de la Frappée. Ma nièce Carmelita est reine du Printemps des fous chaque année, et chaque année nous faisons halte ici, dans cette caverne, pour la nuit et pour l'heure du conte.

— J'ai lu que des animaux hibernaient dans ces cavernes, dit Klaus. Vous êtes sûrs que c'est sans danger, ici?

Le scout au gros pull se tourna vers lui comme pour répondre, mais Bruce le battit de vitesse.

— Rassure-toi, mon gars. Autrefois, oui, il y a des années de ça, les ours pullulaient dans ces montagnes, à ce que j'ai compris. Des ours si intelligents qu'on les dressait pour en faire des soldats, je crois. Mais un jour, ils ont disparu et personne ne sait pourquoi.

— Ce n'étaient pas des ours, murmura le scout au gros pull, si bas que Violette et Klaus durent se pencher vers lui pour l'entendre. C'étaient des lions. Et on en faisait des soldats. Des soldats des neiges pacifiques et valeureux.

Tourné vers eux, il semblait les observer attentivement à travers son fin grillage noir.

— Des Soldats des Neiges Pacifiques et Valeureux, répéta-t-il lentement, et les aînés Baudelaire faillirent sursauter.

— Tu as bien dit... commença Violette, mais le scout en gros pull fit non de la tête, discrètement, comme s'il valait mieux se taire.

Violette jeta un regard à son frère, puis se tourna de nouveau vers le scout, maudissant ces masques qui empêchaient de voir les traits. S.N.P.V... N'était-ce qu'une coïncidence, une de plus ? Ou ce scout énigmatique leur adressait-il un signal ?

— J'ignore ce que vous marmottez, vous trois, dit Bruce, mais arrêtez immédiatement. Ce n'est pas le moment de jacasser, c'est l'heure du conte, l'heure d'échanger des histoires entre nous. Ensuite, nous mangerons des guimauves jusqu'à écœurement complet, puis ce sera l'heure de dormir sur notre petit tas de couvertures, comme nous le faisons tous les ans. Bien. Et si nos nouveaux scouts des neiges racontaient la première histoire ?

— Oh nooon ! C'est à moi de raconter la première, pleurnicha Carmelita. C'est moi la reine du Printemps des fous.

— Mais je parie que nos voyageurs ont une merveilleuse histoire à raconter, déclara le scout au gros pull. Et moi, j'ai très envie d'entendre une Simple Narration d'un Palpitant Voyage.

Klaus vit Violette esquisser le geste de lever les mains vers son front et il sourit sous son masque. Il savait que sa sœur, machinalement, avait voulu s'attacher les cheveux, mais bien sûr le port du masque ne facilite pas ce genre de geste. Dans leur tête, fiévreusement, les deux enfants cherchaient comment communiquer en secret avec ce mystérieux scout. Ils étaient si absorbés que c'est à peine s'ils entendirent Carmelita les insulter.

— Bon alors, les pifgalettes, vous accouchez ou quoi ? Si vous voulez raconter quelque chose, allez-y, racontez!

— Euh, désolée, dit Violette, choisissant ses mots avec soin, mais nous avons l'esprit un peu Surchauffé, Nerveux, Préoccupé, Vagabond, car nous avons été Surpris par la Noirceur en Plein terrain Vague.

— Je n'avais pas saisi qu'il s'agissait d'une aventure angoissante, murmura le scout au gros pull.

— Oh! que si, dit Klaus. Et nous n'avons rien avalé de la journée, à part Six Noix de Pacane Vieillies.

— Et en plus, il y avait les moucherons des neiges, reprit Violette, le genre de Saleté que je N'aime Pas Voir.

— Et dont tout Scout Normal se Passerait Volontiers ! conclut le garçon au gros pull, avec un léger hochement de tête qui semblait dire : « message reçu ».

— Assommante, votre histoire ! décréta Carmelita Spats. Oncle Bruce, dis-leur qu'ils sont des pifgalettes.

— Ce ne serait pas très accommodant de dire une chose pareille, Carmelita, mais je dois avouer, les enfants, que votre récit n'est pas passionnant. Quand un scout des neiges raconte une histoire, il veille à sauter les passages barbants pour ne conserver que ceux qui en valent la peine, les passages vraiment intéressants. C'est ainsi qu'on obtient un récit authentiquement accommodant, bien élevé, conquérant, décontracté, emblématique, flegmatique, galactique, humain, inoffensif, juvénile, ketchupophile, léonin, moutonnier, nonchalant, ordonné, programmable, qualifié, raisonnable, sophistiqué, timide, ultrasensible, valeureux, waterproof, xylophone, yin-et-yang et zippé. Prenez-en de la graine, les enfants.

— Moi je vais leur montrer, à ces pifgalettes, comment on raconte une histoire ! annonça Carmelita. Écoutez. Un matin, je me suis levée, je me suis coiffée, je me suis regardée dans la glace et je me suis dit : « Oh ! je serais encore plus jolie en rose aujourd'hui. » Alors j'ai mis ma robe rose et j'ai...

« En prendre de la graine », comme vous le savez, signifie : « prendre modèle sur... ». Par exemple, si quelqu'un vous dit que le meilleur moyen de venir à bout d'une corvée – ces petits mots de remerciement, admettons, qui sont tellement casse-pieds à écrire –, c'est de grignoter une poignée de pistaches pour chaque bribe de corvée achevée, vous pouvez en prendre de la graine et prévoir un gros sachet de pistaches après chaque anniversaire, chaque Noël. Ou encore, si vous vous trouvez un jour à bord d'une roulotte dévalant une pente, vous pourrez prendre de la graine du présent récit et vous en tirer grâce à une mixture gluante, deux ou trois hamacs et une petite table de jeu.

En tout cas, pour ma part, je vais prendre de la graine des conseils de Bruce et sauter les passages barbants pour ne conserver que ceux qui en valent la peine. À coup sûr, les enfants Baudelaire n'auraient pas demandé mieux, eux aussi, que de sauter ce passage de leur vie pour repartir à la recherche de leur jeune sœur. D'un autre côté, il était exclu de quitter les lieux avant d'avoir pu parler avec le scout en gros pull. Or, il était non moins exclu de parler avec lui devant tout le monde. Aussi Klaus et Violette restèrent-ils assis devant le feu de camp, à écouter Carmelita raconter à qui voulait l'entendre combien elle était intelligente et jolie et parfaitement irrésistible.

Cela dit, même si les deux enfants eurent à endurer stoïquement les passages barbants de leur propre histoire, je ne vois aucune raison de vous les infliger, et c'est pourquoi je vais sauter le récit de Carmelita, les innombrables rééditions de la devise alphabétique (réclamée par Bruce à tout bout de champ), ainsi que la dégustation de guimauves qui clôtura la soirée. Je ne m'étendrai pas non plus sur la gêne qu'éprouvaient Klaus et Violette à se détourner discrètement chaque fois qu'ils soulevaient leurs masques en vitesse pour engloutir les guimauves avant de les remettre illico. Après un voyage épuisant, les deux enfants auraient mieux aimé un souper plus substantiel et plus facile à consommer, mais ils ne pouvaient sauter ce passage, si bien qu'ils durent attendre patiemment que les scouts, enfin écœurés, étalent leurs couvertures sous le mât de Printemps pour s'y étendre. Même lorsque Bruce eut réclamé une dernière fois la devise alphabétique en guise de « Bonne nuit tout le monde », ni Violette ni Klaus n'osèrent se relever pour aller chuchoter avec le scout au gros pull, de peur d'être entendus.

Il leur fallut patienter des heures, trop excités pour dormir, tandis que le feu s'assoupissait et que la caverne réverbérait l'écho des ronflements croisés. Mais moi, je vais m'inspirer de Bruce, et sauter directement au prochain passage intéressant, lequel eut lieu très tard dans la nuit – heure à laquelle, presque toujours, ont lieu les passages intéressants, ceux que tant de gens ratent parce qu'ils dorment ou parce qu'ils sont cachés dans le placard à balais d'une usine de moutarde forte, déguisés en pelle à poussière afin de berner le veilleur de nuit.

Il était très tard cette nuit-là – c'était l'heure la plus sombre de cette sombre journée –, si tard que les jeunes Baudelaire étaient près de s'assoupir enfin, lorsqu'ils sentirent chacun une main leur effleurer l'épaule. Ils s'assirent sans bruit et se retrouvèrent face au masque noir du scout en gros pull.

— Suivez-moi, les Baudelaire, chuchota-t-il très bas. Pour le Q. G., je connais un raccourci.

Et là, c'était vraiment un passage intéressant.

CHAPITRE
V

Lorsque cent mille questions se bousculent dans votre tête et que l'occasion se présente de les poser enfin, elles ont un peu tendance à se ruer toutes ensemble, pareilles aux passagers d'un train entrant en gare. Bruce et sa petite troupe endormis, les aînés Baudelaire avaient enfin une chance de parler avec le mystérieux scout au gros pull, mais les mots leur venaient dans le désordre, irrémédiablement enchevêtrés.

— Qu... commença Violette, mais la question « Qu'est-ce qui te fait dire que nous sommes les Baudelaire ? » se prit les pieds dans la question « Qui es-tu ? », et toutes les deux s'entortillèrent avec « Fais-tu partie de S.N.P.V. ? » et avec « S.N.P.V., c'est quoi, au juste ? »

— Est-ce qu... bredouilla Klaus, mais la question « Est-ce que tu sais où pourrait être notre petite sœur ? » trébucha sur la question « Sais-tu si l'un de nos parents est en vie ? », laquelle s'embrouillait déjà avec « Un raccourci pour le Q. G., mais par où ? » et « Est-ce qu'un jour viendra où mes sœurs et moi pourrons vivre en paix quelque part, hors de portée du comte Olaf et de sa bande qui n'arrêtent pas de comploter pour rafler notre héritage ? »

Cette dernière question, Klaus le savait, risquait de demeurer longtemps sans réponse. N'empêche qu'elle revenait sans cesse à son esprit.

— Vous avez des tas de questions à poser, je m'en doute, chuchota le garçon au gros pull, mais ce n'est pas le bon endroit. Bruce a le sommeil léger, et il a déjà causé bien assez de tort à S.N.P.V., pas besoin de lui fournir l'occasion d'améliorer le score. Toutes vos questions trouveront leurs réponses, c'est promis, mais d'abord il faut foncer à ce Q. G. Suivez-moi.

Sur ce, il tourna les talons. Et son sac à dos portait un insigne, un insigne que Violette et Klaus reconnurent au premier regard. C'était celui qu'ils avaient repéré sur la tente de Mme Lulu, à Caligari Folies : un petit dessin en forme d'œil.

À pas de velours, le scout se mit en marche et les deux enfants, sortant de leurs couvertures, le suivirent sur la pointe des pieds. À leur surprise, il ne les emmenait pas vers l'entrée de la caverne mais droit vers le fond, là où achevait de mourir le feu, réduit à un tas de cendres chaudes sur lequel flottait l'odeur de fumée. Le garçon tira de sa poche une torche électrique.

— Il fallait attendre que le feu soit éteint pour vous montrer ça, chuchota-t-il en braquant sa torche vers la voûte, après un coup d'œil prudent du côté des scouts endormis. Regardez.

Violette et Klaus levèrent le nez. Une trouée s'ouvrait là-haut, juste assez large pour permettre à un homme adulte de s'y glisser. Les dernières volutes de fumée s'y faufilaient, paresseuses.

— Une cheminée, murmura Klaus. Je me demandais bien, aussi, pourquoi ce feu n'enfumait pas toute la caverne.

— Le nom officiel de ce truc-là, souffla le scout, c'est la Sortie nord du puits de ventilation. S.N.P.V. Ça sert à la fois de conduit de fumée et de passage secret, et ça mène de cette caverne au Sous-bois aux neuf percées à tout vent, quelques centaines de mètres plus haut. Si nous grimpons par là, nous pouvons rejoindre le Q. G. en quelques heures seulement, au lieu de devoir faire tout le trajet par-dehors, avec les ravines à franchir et les pentes à escalader. Autrefois, voilà des années, une longue perche de métal au milieu du conduit permettait de se laisser glisser à toute vitesse jusqu'à cette caverne pour s'y cacher en cas d'urgence. La perche a disparu, mais il devrait y avoir des encoches de place en place – des prises de pied, comme disent les montagnards – pour grimper jusqu'en haut.

Il braqua sa torche sur la paroi et, en effet, tout du long, on distinguait une double rangée de petites entailles, parfaites pour y caler les mains et la pointe des pieds.

— Mais comment sais-tu tout cela ? demanda Violette.

Le garçon la regarda un moment, et les enfants Baudelaire auraient juré que derrière son masque il souriait.

— Je l'ai lu, chuchota-t-il. Dans un bouquin intitulé *Phénomènes remarquables des monts Main-morte.*

— Ce titre me dit quelque chose, laissa tomber Klaus.

— Pas impossible, dit le garçon. Il était dans la bibliothèque du Dr Montgomery.

Le Dr Montgomery ? L'oncle Monty, autrement dit ! Au seul nom de leur deuxième tuteur, Violette et Klaus sentirent à nouveau une foule de questions leur brûler le bout de la langue.

— Quand... commença Violette.

— Pourq... commença Klaus.

— Carm... commença une tout autre voix, et les trois enfants se figèrent.

Mais ce n'était que Bruce qui marmonnait en dormant. Lourdement, il se retourna sous sa couverture et, avec un long soupir, se rendormit aussitôt.

— Écoutez, chuchota le scout très bas. On discutera de tout ça une fois là-haut. Attention : le long du conduit, le moindre bruit résonne affreusement, donc il va falloir grimper dans un silence absolu, sans quoi on est sûrs d'alerter Bruce et les autres. Et il va y faire très noir, aussi ; il faudra trouver les prises à tâtons. Enfin, l'air y est pas mal enfumé ; gardez vos masques sur le nez, la filtration devrait suffire. Bon, je vais passer en premier et vous me suivez, d'accord ? Prêts ?

Violette et Klaus se tournèrent face à face. Masque ou pas, chacun pouvait lire les pensées de l'autre et la réponse était claire : ils n'étaient pas prêts du tout. Suivre un parfait étranger le long d'un passage secret au cœur d'une montagne inconnue ne semblait pas sans danger, surtout en direction d'un Q. G. dont rien ne garantissait l'existence. La dernière fois qu'ils s'étaient lancés dans une aventure à haut risque, leur petite sœur leur avait été enlevée sous leur nez. Qu'allait-il leur arriver, cette fois, le long d'un sombre conduit enfumé, en compagnie d'un mystérieux personnage masqué ?

— Je sais, murmura le garçon au gros pull, ça ne doit pas être facile de me faire confiance, vous deux. Après avoir été trahis par tant de gens...

— Pourrais-tu nous donner une raison, une seule, de te faire confiance ? demanda Violette.

Le scout baissa la tête un moment, puis il releva son masque droit vers Klaus et Violette.

— L'un de vous a employé le mot xénophobe, tout à l'heure, en discutant avec Bruce de cette stupide devise. Bon. Xénophobe signifie : « qui a horreur des étrangers ». Et xénophile : « qui les aime bien ».

— Très juste, souffla Klaus à sa sœur.

— Je sais qu'avoir un bon vocabulaire ne prouve en rien que je suis quelqu'un de bien, reprit le garçon. C'est seulement la preuve que je lis pas mal. Malgré tout, d'après mon expérience, il y a peut-être un peu moins de gens méchants parmi les grands lecteurs et les fins lettrés.

Violette et Klaus se consultèrent du regard à travers leurs masques. Ni l'un ni l'autre n'était franchement convaincu. Il existe, bien évidemment, des quantités de gens méchants qui lisent des tonnes et des tonnes de livres, et des quantités de gens très gentils qui ont apparemment trouvé un autre moyen de passer leur temps. D'un autre côté, les

deux enfants le pressentaient, il y avait un petit fond
de vérité dans ce qu'affirmait le garçon et, tant qu'à
prendre des risques, autant le faire aux côtés d'un
inconnu qui connaissait le mot xénophobe – plutôt
que de ressortir dans le monde hostile et chercher
à trouver ce Q. G. par leurs propres moyens.

Aussi se tournèrent-ils vers lui et, sans mot dire,
hochèrent-ils la tête : c'était oui. Puis ils le suivirent
au pied de la paroi, non sans s'être assurés qu'ils
n'oubliaient rien dans la caverne. Les encoches le long
de la paroi rendaient l'escalade assez facile, et en un
rien de temps les deux enfants se retrouvèrent à l'intérieur du conduit sombre, à la suite du scout inconnu.

L'existence de cette cheminée naturelle – puits
de ventilation et corridor vertical reliant le Q. G.
Mainmorte à la caverne des Soldats des neiges pacifiques et valeureux – a longtemps été l'un des secrets
les mieux gardés au monde. Quiconque souhaitait
emprunter ce passage devait répondre correctement
à toute une batterie de questions concernant la
force gravitationnelle, les us et coutumes des lions
et les thèmes centraux de grands romans russes,
de sorte que fort peu de gens savaient très exactement où se trouvait ladite cheminée. La nuit où
les enfants Baudelaire l'empruntèrent, ce passage
n'avait pas servi depuis des années, depuis le jour
où l'un de mes camarades en avait retiré la perche
de métal pour l'utiliser dans la construction d'un

sous-marin. On pourrait donc dire sans exagérer que ce passage, à sa façon, était un chemin peu passant – plus délaissé encore que celui sur lequel a démarré ce récit.

Une remarque, ici, avant de poursuivre. Si les enfants Baudelaire avaient d'excellentes raisons d'emprunter le chemin délaissé, pressés qu'ils étaient de gagner le fameux Q. G. et de tirer leur jeune sœur des griffes du comte Olaf, de votre côté, je n'en vois aucune de les suivre sur cette voie austère, et donc de lire la suite du présent chapitre, lequel ne fait que narrer leur sombre et fumeuse ascension.

Le feu de camp avait rendu l'air de ce conduit parfaitement irrespirable, et les enfants enduraient mille morts à se retenir de tousser au risque de réveiller Bruce – mais je ne vois aucune raison pour que vous enduriez mille morts à déchiffrer ces lignes fumeuses.

Un certain nombre d'araignées velues, ayant noté que les encoches n'avaient vu ni pied ni main depuis un bail, s'étaient cru en droit de reconvertir la paroi en copropriété pour arachnides – mais je ne vois aucune raison pour que vous cherchiez à savoir comment riposte une araignée velue à l'intrusion de doigts dans son logis.

Enfin, les vents furieux qui balayaient les hauteurs s'engouffraient dans la cheminée à qui mieux mieux, et les enfants devaient se cramponner à la roche pour résister à ces rafales glacées, de peur de lâcher prise – mais je ne vois aucune raison pour que, de votre côté, vous vous cramponniez à une lecture fastidieuse.

Ma description de cette escalade cauchemardesque le long du conduit délaissé débute à la page suivante, mais je ne saurais trop vous recommander de sauter ce passage. Oui, inspirez-vous de Bruce et passez directement au chapitre six, où vous retrouverez Prunille et ses tribulations – mot signifiant d'ordinaire «ennuis en gros et en détail», mais plus précisément, ici : «occasions d'écouter en douce la conversation de malfrats tout en cuisinant pour eux». Ou même, tenez, sautez plutôt au chapitre sept, dans lequel les aînés Baudelaire découvrent enfin le fameux Q. G. ainsi que l'identité du mystérieux inconnu qui les y mène.

Encore que... À la réflexion, le plus sage serait sans doute d'opter pour la voie la plus fréquentée et de sauter tout le restant du livre. Gageons que vous trouverez mieux à faire que de vous enliser dans une lecture lente et longue et lassante et laborieuse et lugubre, même si elle tend à faire de vous un grand lecteur et un fin lettré.

Pour en revenir à mon récit, voici la description annoncée.

L'escalade du puits de ventilation fut si périlleuse et si pénible qu'il ne suffit pas d'écrire : L'escalade du puits de ventilation fut si périlleuse et si pénible qu'il ne suffit pas d'écrire : L'escalade du puits de ventilation fut si périlleuse et si pénible qu'il ne suffit pas d'écrire : L'escalade du puits de ventilation fut si périlleuse et si pénible qu'il ne suffit pas d'écrire : L'escalade du puits de ventilation fut si périlleuse et si pénible qu'il ne suffit pas d'écrire : Ma très chère sœur, Je prends un risque incommensurable en camouflant cette missive pour toi au milieu de l'un de mes livres, mais je suis bien certain que même les plus grands lecteurs et les plus fins lettrés – y compris les maniaques et les fans d'histoires à pleurer – auront renoncé à lire la suite de celui-ci et l'auront remis sur l'étagère, où il n'attendra que l'instant où tu l'ouvriras enfin pour y découvrir ce message. Par précaution supplémentaire, j'ai annoncé qu'il s'agissait d'une description, or chacun sait que les descriptions sont faites pour être sautées. De toute manière, quiconque aurait assez de force d'âme pour se lancer dans cette lecture a bien des chances d'être assez fort pour lire sans risque cette lettre à toi destinée.

J'ai enfin appris où aller dénicher la pièce à conviction qui m'innocentera, expression signifiant ici : « qui démontrera aux autorités que c'est le comte Olaf, et non moi, qu'il faut incriminer pour tant de départs de feu ». Ta suggestion lors de ce pique-nique, voilà des années, qu'un service à thé pouvait faire une parfaite cachette pour quelque chose de petit et de crucial – en cas de malheur, on ne sait jamais – s'est révélée excellente. (Par parenthèse, ton autre suggestion lors de ce pique-nique, celle qu'un mélange de haricots noirs, de fines tranches de mangue et de céleri assaisonné de poivre du moulin, de jus de citron et d'un filet d'huile d'olive ferait une salade froide exquise s'est également révélée excellente.)

À l'heure qu'il est, je suis en chemin pour le Sous-bois aux neuf percées à tout vent, afin de poursuivre mon enquête sur l'affaire Baudelaire. J'espère également y récupérer la pièce à conviction susdite. Il est trop tard, à l'évidence, pour me refaire une vie heureuse, mais je peux du moins blanchir mon nom. Depuis le site du quartier général de S.N.P.V., je me rendrai directement à l'hôtel Dénouement. Je pense y arriver vers... Bon, mieux vaut sans doute ne pas écrire ici la date, mais tu devrais te rappeler sans peine celle de l'anniversaire de Beatrice. Rendez-vous donc à l'hôtel. Essaie de nous réserver une chambre dont les rideaux ne sont pas trop hideux. Avec mes sentiments respectueux, Ton frère affectionné, Lemony. P.-S. : Avec des cœurs de palmier en lieu et place du céleri râpé, c'est tout aussi exquis.

CHAPITRE
VI

Au petit matin, tandis que ses aînés, toujours à tâtons, continuaient à chercher leurs prises le long du conduit vertical – et j'espère vivement que vous n'avez pas lu la description de cette escalade –, la benjamine des Baudelaire était aux prises avec de tout autres difficultés.

Prunille n'avait pas trouvé douce sa première nuit sur le mont Augur. S'il vous est arrivé de dormir au creux d'une cocotte en fonte et sur un sommet battu des vents, vous savez que le confort y est extrêmement limité, même si vous avez déniché un vieux torchon à vaisselle dans lequel vous entortiller. Tout au long de la nuit, l'air glacé s'était insinué dans la cocotte par les petits trous du couvercle, si bien que tout au long de la nuit Prunille avait claqué des dents à grand bruit, ce qui l'avait empêchée de fermer l'œil. Et lorsque, pour finir, les premiers rayons du soleil vinrent réchauffer l'intérieur de la cocotte, le comte Olaf fit voltiger le couvercle d'un coup de pied, au grand dam de cette pauvre enfant que la tiédeur commençait à assoupir.

— Debout, cauchemar de dentiste ! Et que ça saute !

Prunille entrouvrit un œil et la première chose qu'elle vit fut la cheville gauche du triste sire, ornée d'un tatouage qui ne lui inspirait qu'une envie : jouer les marmottes et ne refaire surface que lorsque cette horreur aurait disparu.

Le tatouage sur la cheville d'Olaf représentait un œil grand ouvert, et cet œil-là semblait braqué sur Prunille et ses aînés depuis le début de leurs misères – depuis ce jour où ils avaient appris, sur la plage de Malamer, qu'un abominable incendie les avait privés de parents et de logis. Depuis lors, le comte Olaf n'avait cessé de cacher ce tatouage aux autorités, et les enfants n'avaient cessé de le redécouvrir encore et toujours, sous les déguisements les plus farfelus. Bien pis, ils avaient vu cet œil au regard fixe en toutes sortes de lieux – du cabinet d'une hypnotiseuse à la tente d'un parc forain, du sac à main d'une tutrice au pendentif d'une mystérieuse voyante. Tout se passait comme si cet œil avait pris la place du regard parental, à ce détail près qu'au lieu de veiller sur les trois enfants, au lieu d'assurer leur sécurité, il se contentait de les fixer froidement, comme s'il se moquait bien de leurs ennuis, comme s'il ne pouvait rien pour eux. Les traits de cet œil symbolisaient, pour Prunille, la toile d'araignée qui les enserrait, elle et ses aînés, sinistre filet tissé de secrets dont ils étaient bien loin de discerner tous les fils.

Mais c'est rarement au saut du lit qu'on est le plus en forme pour percer des mystères, surtout quand on n'a pas eu de lit d'où sauter, qu'on n'a quasiment pas fermé l'œil et qu'on se fait corner des ordres aux oreilles. Aussi Prunille rendit-elle son attention à ce que lui martelait le comte Olaf.

— Bon, la mouflette, c'est toi qui fais la popote et le ménage, compris ? Et tu peux t'y mettre tout de suite, à commencer par le petit-déjeuner ! Une rude journée nous attend, ma troupe et moi. Il nous faut un solide repas, énergétique et tout, pour mener à bien nos infâmies.

— Plakna ? répondit Prunille ; autrement dit : « Et je fais ça comment, moi, au sommet d'un mont où il gèle à pierre fendre ? »

— Ha ! fit son ravisseur avec un sourire mauvais. Ta petite cervelle brille moins que tes dents, hein, ouistiti ? Gouzi gouzi, c'est tout ce que tu sais dire !

Prunille ravala un soupir. Personne ici pour la comprendre, c'était usant. Du tac au tac, elle répliqua :

— Translo !

En clair : « Ce n'est pas parce que vous n'y comprenez goutte que c'est du blablabla. »

Mais bien sûr Olaf n'y comprit goutte. Il haussa les épaules et lui jeta ses clés de voiture.

— Mais oui, c'est ça : aga aga. Sors plutôt les provisions du coffre, moucheronne, et exécution !

— Kripti ! riposta Prunille, et elle se retint de rire, car elle venait de lui lancer au nez : « Pas ma faute si vous êtes bouché ! Et comme ça, je peux dire tout ce qui me chante, y compris vos quatre vérités. »

— Tu commences à me courir sur le haricot, gronda Olaf ; ce qui est une façon fort peu élégante de dire : « Tu m'agaces. »

— Brummel, contra Prunille ; ce qui est une façon fort élégante de dire : « Vous êtes fagoté comme l'as de pique et vous auriez bien besoin d'un bain. »

— Tu vas te taire, oui, canari ?

— Busheney, rétorqua Prunille ; autrement dit : « Votre problème, c'est d'être incapable d'imaginer le point de vue des autres. »

— Silence ! siffla le comte. Ferme ton bec et au boulot !

Prunille s'extirpa de sa cocotte en fonte et fit mine d'examiner le sol pour cacher qu'elle avait le sourire. Une idée réjouissante lui venait.

Il n'est jamais joli joli de jouer des tours à autrui. Prunille le savait, mais lorsque autrui est un scélérat, on a des circonstances atténuantes. Elle gagna la voiture d'un pas dansant, étonnamment allègre pour celui d'une enfant aux mains d'un fieffé criminel, au sommet d'un mont si glacial que le torrent à son flanc est gelé.

Mais lorsqu'elle ouvrit le hayon, Prunille perdit son sourire.

Il n'est jamais très recommandé de conserver des denrées périssables dans un coffre de voiture – parce qu'elles risquent de périr, justement, faute de réfrigération. Mais les provisions rangées là, Prunille le vit au premier coup d'œil, n'avaient pas souffert d'être sous-réfrigérées. Sur-réfrigérées eût été un terme plus juste : sous l'effet de la froidure, l'ensemble des provisions était littéralement congelé. Une fine couche de givre recouvrait le tout et Prunille, se coulant dans le coffre, dut épousseter chaque article à mains nues pour procéder à l'inventaire.

Il y avait là tout l'assortiment chapardé par Olaf à Caligari Folies, mais à vrai dire rien ne semblait convenir à la confection d'un bon petit-déjeuner. Un paquet de café en grains se cachait bien sous un harpon et sous un bloc d'épinards pris en glace, mais qu'en faire sans moulin à café ? Contre un grand sachet de champignons et un panier à pique-nique reposait un contenant de jus d'orange, mais, comme il s'adossait à la paroi trouée d'impacts de balle, son contenu était également pris en glace. Enfin, derrière trois bouts de fromage durs comme le roc, une grande boîte de châtaignes d'eau et une aubergine plus grosse qu'elle, Prunille découvrit un petit pot de gelée de mûres et un superbe pain de mie sous cellophane – « idéal pour les rôties », clamait l'étiquette, même si, à vrai dire, il évoquait une bûche plus qu'une denrée comestible.

— Debout, là-dedans ! lança la voix d'Olaf à distance.

Prunille allongea le cou et vit le comte qui se penchait à l'entrée de l'une des tentes.

— Allez, debout, et on s'habille pour le petit-déjeuner!

— On pourrait pas dormir encore un peu ? geignit la voix de l'homme aux crochets. J'étais en train de rêver que j'éternuais sans mettre la main devant ma bouche et que je refilais mes microbes à tout le monde...

— Pas question ! Trop de boulot à vous faire faire!

Esmé passa la tête à la tente voisine, le crâne hérissé de bigoudis.

— Mais, mon chéri, moi il me faut un peu de temps pour choisir ma tenue! Ça ne se fait pas de mettre le feu à un Q. G. sans s'habiller pour la circonstance.

Prunille eut un petit choc. Elle savait bien qu'Olaf était pressé de gagner ce Q. G. pour y supprimer une pièce à conviction – autrement dit, une preuve irréfutable de sa culpabilité concernant un ou plusieurs crimes. Mais l'idée ne lui était pas venue qu'il envisageait, une fois de plus, d'y exercer ses talents de pyromane – autrement dit, de s'adonner à sa manie de mettre le feu partout, signe d'un esprit dérangé.

— Du temps pour choisir une tenue? grommelait-il. Alors là, ça me dépasse! Enfin, regarde-moi : je porte la même pendant des semaines – sauf bien sûr si je dois me déguiser –, et ne va pas dire que je manque d'élégance! Bon, tu as deux ou trois minutes devant toi, je pense. C'est le gros inconvénient d'employer de la marmaille : le service est horriblement lent.

Sur ce, il retourna voir où en était Prunille.

Le pain bûche entre les mains, elle n'en était pas bien loin.

— Active le mouvement, la pipelette! Par ce froid de chien, j'ai besoin de quelque chose de chaud, et presto!

— Promété, répondit Prunille, c'est-à-dire : « Pour préparer quelque chose de chaud sans électricité, sans réchaud, il me faudrait du feu. Je suis bien trop petite pour allumer un feu toute seule au sommet d'une montagne enneigée. Pour me demander ça, il faut être fou à lier. »

— Tes pia-pia de canari, ça commence à bien faire, je croyais te l'avoir dit.

— Cradoc, riposta Prunille, et elle se sentit mieux.

Ce qui signifiait, bien sûr : « En plus, vous devriez avoir honte de porter la même tenue pendant des semaines. C'est parfaitement dégoûtant. »

Mais il se contenta de lui jeter un regard noir, puis il se retira sous sa tente.

Prunille examina les denrées dont elle disposait et s'efforça de réfléchir. En vérité, la seule idée de feu lui faisait les jambes molles. Un feu, ça réchauffe, oui. C'est beau. Mais ça donne le frisson, aussi, quand on a tout perdu dans un grand incendie.

Pourtant, de fil en aiguille, songer au feu rappela à Prunille ce que lui avait dit sa mère, un jour, alors qu'elle était encore très petite. Toutes deux s'affairaient dans la cuisine, Mme Baudelaire, très occupée à cuisiner pour des invités, et Prunille, très occupée à faire tomber une fourchette par terre, encore et encore et encore, afin d'étudier le tinte-ment produit. Les invités allaient arriver, et la mère de Prunille préparait en hâte une salade de haricots noirs avec de fines tranches de mangue et de céleri, le tout assaisonné de poivre du moulin, de jus de citron et d'un filet d'huile d'olive.

— Tu vois, Prunille ? avait dit sa mère. Ce n'est vraiment pas sorcier, comme recette. Mais si je dispose cette salade joliment sur des assiettes élégantes, tout le monde va s'imaginer que j'ai passé la journée à cuisiner. Souvent, quand on cuisine, la présentation compte au moins autant que les mets eux-mêmes.

Ces mots en tête, Prunille ouvrit le panier à pique-nique qui traînait dans le coffre et à l'intérieur, oh joie ! elle découvrit un service à vaisselle très chic, chaque assiette ornée de l'œil familier, ainsi qu'un petit service à thé assorti. Alors, remontant ses manches, expression signifiant ici : « se mettant au travail avec ardeur, mais sans remonter ses manches pour cause de froid polaire », elle se mit en devoir d'improviser un bon petit-déjeuner pour Olaf et sa clique.

Entre deux claquements de dents, elle captait des bribes de conversation depuis la tente d'Olaf et Esmé.

— Ces couvertures feront une excellente nappe de pique-nique, assurait Olaf.

— Bonne idée, répondait Esmé. Les repas *al fresco* sont très tendance, ces temps-ci.

— Alfresquo ? C'est quoi, c'est qui ?

— C'est le terme italien pour dire « manger dehors », pardi ! « À la fraîche. » Et c'est très, très tendance.

— Je le savais, évidemment. Je voulais juste vérifier si toi, tu le savais.

— Hé, patron ! appela Féval depuis la tente voisine. Y a Bretzella qui ne veut pas partager la soie dentaire !

— Soie dentaire ? Pour quoi faire ? fusa la réplique olafienne. Aucune utilité, sauf pour étrangler un cou maigre.

— Otto, tu pourrais me donner un coup de main ? (Ça, c'était la voix de l'homme aux crochets.) Ce serait pour m'aider à me peigner. Y a des jours où j'ai du mal, avec mes crochets.

— Tes crochets, j'en voudrais bien. N'avoir pas de mains, c'est toujours mieux qu'avoir deux mains droites...

— Taisez-vous ! (Ah ! ça, c'était l'une des dames poudrées.) Le pire de tout, c'est d'avoir une face de lune.

— Face de lune ? (Ça, c'était Bretzella.). Vous n'avez qu'à cesser de vous enfariner comme ça !

— Est-il vraiment indispensable de vous engueuler tous les matins ? tonna la voix d'Olaf.

Et Prunille, qui venait de descendre du coffre, vit le comte sortir d'un pas traînant, chargé d'une grosse couverture constellée du motif de l'œil familier.

— Bon ! lança-t-il à la cantonade. Que quelqu'un prenne cette couverture et aille dresser la table là-bas, sur le gros rocher plat.

— Avec plaisir, patron ! s'empressa Féval.

Esmé sortait à son tour, vêtue d'une combinaison de ski rouge vif. Elle enlaça l'épaule d'Olaf d'un bras langoureux.

— Plie-la en triangle, cette couverture, dit-elle au bossu. C'est très tendance.

— Bien, Ma'ame, dit Féval. Et, sans vouloir vous flatter, vous voilà joliment habillée.

La scélérate pivota sur elle-même, à la façon d'une top modèle, pour se faire admirer sous tous les angles. Prunille leva les yeux de sa tâche et nota d'emblée la lettre B cousue dans le dos, sous le motif en forme d'œil.

— Ravie qu'elle te plaise, Féval, dit Esmé. Elle est volée, bien sûr.

Olaf jeta un regard vers Prunille et fit écran devant sa bien-aimée.

— Qu'est-ce que tu zyeutes comme ça, petite tête de brochet, hein ? Et ce repas, il est prêt ?

— Kâzi, répondit Prunille.

— Cette petite est incapable de prononcer un mot sensé, commenta Féval. Pas étonnant que tout le monde l'ait prise pour un monstre !

Prunille poussa un long soupir, que les gros rires couvrirent entièrement. Puis toute la bande se dirigea vers le rocher plat où Féval étalait la couverture. L'une des dames poudrées, en passant, jeta un regard à Prunille et lui adressa un petit sourire, mais nul ne se proposa pour lui donner un coup de main, pas plus pour préparer le repas que pour mettre le couvert avec le service orné d'yeux. Toute la clique se contenta d'attendre, riant et discutant à grand bruit, que la petite apporte elle-même le fruit de ses efforts culinaires, artistiquement disposé sur le grand plateau en forme d'œil trouvé au fond du panier à pique-nique.

En dépit de ses soucis – son angoisse pour ses aînés et le tracas d'être aux mains d'Olaf –, Prunille ne put s'empêcher d'éprouver un brin de fierté lorsqu'elle déposa sur le rocher plat le repas qu'elle avait préparé. Et le fait est qu'il se présentait bien car, suivant la recommandation maternelle, la benjamine des Baudelaire avait accordé le plus grand soin à la disposition des mets, en dépit des circonstances difficiles.

Pour commencer, elle avait ouvert la brique de jus d'orange pris en glace et, à l'aide d'une petite cuillère, elle avait buriné le bloc jusqu'à obtenir une grosse masse de copeaux glacés, dont elle avait déposé un petit tas sur chaque assiette : et voilà, cela faisait un granité à l'orange, délicieux dessert glacé très populaire dans les repas chics, les soupers dansants et les bals masqués.

Ensuite, elle s'était rincé la bouche à la neige fondue, très très très soigneusement, plusieurs fois de suite, et, à petits coups de dents appliqués, elle avait réduit à l'état de mouture grossière la moitié du café en grains. Une cuillerée de cette mouture au fond de chaque tasse, un peu de neige fondue par-dessus, et hop ! cela faisait du café frappé, breuvage exquis que j'ai découvert lors d'un voyage en Thaïlande, où j'étais allé interviewer un chauffeur de taxi.

Enfin, pendant tout ce temps, elle avait gardé le pain de mie gelé bien au chaud sous son t-shirt, de sorte qu'il avait tiédi, suffisamment pour se laisser couper en tranches, et sur chaque tranche elle avait étalé une cuillerée de gelée de mûres, poussant le raffinement jusqu'à dessiner une forme d'œil afin de mieux satisfaire ses convives.

Comme il manquait une touche finale, elle avait récupéré le petit bouquet de lierre offert par Olaf à Esmé – et qui traînait déjà, délaissé – pour le planter dans le pot à crème du service à thé. De toute manière, il n'y avait pas de crème, et ce brin de verdure faisait un très joli centre de table, terme signifiant ici : « décor floral indispensable dans tout repas à grand tralala, ayant pour but de distraire les convives du contenu de leur assiette, le plus souvent tout juste acceptable ».

Faut-il le préciser ? Ni le café frappé ni le granité à l'orange ne sont d'ordinaire servis dans les petits-déjeuners *al fresco* au sommet de montagnes glaciales, et les tartines de gelée de mûres sont meilleures si le pain est grillé. Mais Prunille avait fait de son mieux avec les moyens du bord, et elle espérait qu'Olaf et sa bande apprécieraient ses efforts.

— Caffefrede, sorbetto, brindisi alla tartara, annonça-t-elle en déposant le plateau sur la roche.

— C'est quoi, ce brouet ? s'informa le comte Olaf, le sourcil soupçonneux, inspectant le contenu de sa tasse. On dirait du café, mais c'est glacial !

— Et ces trucs-machins à l'orange ? renchérit Esmé. Moi, je veux de la cuisine tendance, pas une poignée de neige fondue !

Bretzella prit une tartine en main et l'examina avec circonspection.

— On dirait du pain grillé, mais cru. C'est comestible, au moins ?

— Je parie que non, dit Féval. Je parie que cette petite peste essaie de nous empoisonner.

— En fait, le café n'est pas si mauvais, déclara l'une des dames poudrées. Un peu amer, peut-être. Quelqu'un pourrait me passer le sucre ?

— Sucre ? meugla le comte Olaf, pris d'un accès de fureur.

Sautant sur ses pieds, il saisit un coin de la couverture et tira d'un coup sec, envoyant voltiger en tous sens le fruit des efforts de Prunille. Vaisselle, mets, couverts, tout prit la voie des airs, et Prunille évita de justesse une fourchette en pleine acrobatie.

— Tout le sucre du monde ne suffirait pas à rendre mangeable cette infâme pitance ! mugit le comte, et il se pencha vers Prunille, ses petits yeux luisants, luisants braqués sur ceux de la jeune cuisinière. Je t'avais dit de nous préparer un bon repas bien chaud, et tu nous sers une ratatouille aussi glacée qu'immangeable !

Prunille ne disait rien. Elle s'efforçait de ne pas inhaler les petits nuages de vapeur fétide qu'il lui envoyait à la figure.

— Tu as vu à quelle altitude nous sommes, papoose à dents de croco ? Si je te jette du haut de cette montagne, tu crois que tu retomberas sur tes pieds ?

— Olaf ! intervint Esmé. Je te rappelle que, pour rafler l'héritage Baudelaire, il nous faut l'un de ces chers petits vivant et frétillant. Et je te rappelle qu'il n'en reste qu'un.

— Ouais, ouais, on le sait. Je n'allais pas la pousser dans le ravin, tu penses bien. Je voulais juste lui faire peur.

Et, sur un dernier regard féroce pour Prunille, le comte se tourna vers l'homme aux crochets.

— Toi, va à ce torrent gelé et, avec tes crochets, casse la glace. Ces eaux regorgent de saumons. Attrapes-en assez pour nous tous, que la moucheronne nous cuisine un vrai repas.

— Bonne idée, Olaf, dit l'homme aux crochets. J'y vais de ce pas. Idée de génie, même, je dirais.

— Berkisushi, laissa tomber Prunille à mi-voix ; en d'autres mots : « Pas sûr que le saumon cru vous régale. »

— Toi, jappa Olaf, arrête de baragouiner et lave plutôt la vaisselle. Regarde-moi ce gâchis !

— Si vous permettez, Olaf... hasarda l'une des dames poudrées. Je sais bien que ce n'est pas mes oignons, mais à votre place, je mettrais quelqu'un d'autre aux fourneaux. Cette petite est tout de même très jeune, et ce n'est pas si facile de préparer un bon repas sans feu.

— Du feu ? Qui donc veut du feu ? Pas ce qui manque, par ici ! intervint une voix inconnue, une voix si grave, si basse, si profonde qu'on l'aurait crue venue du fin fond d'une caverne – autrement dit, une voix caverneuse doublée d'une aura de menace.

Chacun se retourna et se tut.

Une aura de menace, c'est un peu comme un furet apprivoisé. En posséder est assez rare et, face à quelqu'un dont c'est le cas, on aurait plutôt tendance à se jeter sous un meuble qu'à chercher à en savoir plus. Une aura, de toute manière, est assez malaisée à définir. C'est cette espèce d'atmosphère étrange qui entoure certaines personnes ou certaines choses : les uns ont une aura de mystère, les autres une aura de bonté. L'aura de menace, pas plus tangible que les précédentes, est cette nette impression de malaise qui accompagne l'arrivée de certains êtres, comme s'il fallait immédiatement s'attendre au pire. Très peu d'individus sont suffisamment malfaisants pour produire une aura de menace indéniable. Celle du comte Olaf, par exemple, avait frappé d'emblée les orphelins Baudelaire, et pourtant bien des gens, en sa présence, ne semblaient pas soupçonner avoir affaire à un être mal intentionné, même lorsqu'ils l'avaient sous le nez, avec sa petite lueur mauvaise dans les yeux. Mais les deux visiteurs qui surgirent, ce matin-là, sur le point culminant des monts Mainmorte diffusaient une aura de menace que nul ne pouvait ignorer.

À leur vue, Prunille retint son souffle. Esmé frissonna dans sa combinaison de ski. Et toute la bande d'Olaf – hormis l'homme aux crochets, occupé à pêcher le saumon et qui manquait donc la scène –, la bande au complet contempla... la pointe de ses pieds. Le comte lui-même parut mal à l'aise en voyant ces deux-là s'avancer vers le campement. Pour ma part, écrivant ces lignes, je perçois si fort encore cette aura de menace, malgré toute l'eau qui a coulé sous les ponts, que je n'ose toujours pas prononcer leur nom. À la place, je les nommerai tantôt « les sinistres visiteurs », tantôt « l'homme à barbe mais sans cheveux » ou « la femme à cheveux mais sans barbe », comme les nomment parfois ceux qui osent les mentionner.

— Ah ! Olaf, c'est bon de te voir, reprit la voix caverneuse.

Et Prunille, reprenant son souffle, s'aperçut que la voix si grave était celle de la sinistre visiteuse. Vêtue d'un ensemble fait d'un étrange tissu bleu, très brillant, avec deux énormes épaulettes, elle traînait derrière elle une longue luge de bois, une de ces luges pour adultes, à deux places ou même trois. Sur le sol gelé, le crissement des patins avait quelque chose d'inquiétant.

— Pour tout te dire, précisa-t-elle, on commençait à se demander si tu n'étais pas sous les verrous.

— Ma foi, tu parais en pleine forme, enchaîna le sinistre visiteur. (Vêtu du même tissu que sa comparse, il avait une voix de poulie rouillée, comme s'il avait crié des heures durant.) Un bail qu'on ne t'avait vu, dis donc !

Il conclut ces mots d'un sourire à faire baisser la température ambiante de quelques degrés supplémentaires, puis il aida sa compagne à caler la luge contre le rocher qui avait servi de table. La benjamine des Baudelaire repéra aussitôt l'œil familier peint sur le bois de l'engin, ainsi que les brides de cuir servant sans doute à le diriger.

Olaf toussota dans sa main, comme on le fait lorsqu'on ne sait trop que dire.

— Bonjour, se lança-t-il, un peu hésitant. Euh, je vous ai entendus parler de feu ?

Les sinistres visiteurs échangèrent un regard, puis ils éclatèrent d'un rire si sarcastique que Prunille se couvrit les oreilles.

— Vous n'avez pas remarqué, dit la visiteuse, qu'il n'y a pas un seul moucheron des neiges à la ronde ?

— Si, si, on l'avait remarqué, dit Esmé. Je m'étais dit que, peut-être, ils n'étaient plus très tendance.

— Un peu de jugeotte, Esmé, dit l'homme à barbe mais sans cheveux. S'il n'y a pas de moucherons, c'est qu'ils ont senti la fumée.

Il s'approcha, prit les doigts d'Esmé – laquelle tremblait comme un roseau, nota Prunille – et la gratifia d'un baise-main.

Féval renifla.

— Fumée ? Je ne sens rien.

— Si vous étiez moucheron, lui dit la femme à cheveux mais sans barbe, vous sentiriez très bien. Vous sentiriez monter cette odeur depuis le Q. G. de S.N.P.V.

— Nous t'avons rendu un fier service, Olaf, dit l'homme. L'endroit est réduit en cendres.

— Non ! laissa échapper Prunille malgré elle.

Par « non ! » elle entendait, bien sûr : « J'espère que c'est complètement faux, parce que nous voulions aller là-bas, mon grand frère, ma grande sœur et moi, pour essayer de résoudre les mystères qui pèsent sur nous et peut-être retrouver l'un de nos parents! » Mais elle n'avait pas prévu de prononcer ce non! à voix haute.

Les visiteurs baissèrent les yeux vers la benjamine des Baudelaire, dirigeant vers elle leur aura de menace.

— Quelle est cette petite chose? s'informa l'homme à barbe mais sans cheveux.

— C'est la plus jeune des enfants Baudelaire, répondit Esmé. Nous avons éliminé les deux autres, mais nous gardons celle-ci, c'est toujours utile et de toute manière il nous la faudra pour empocher l'héritage.

La sinistre visiteuse approuva d'un hochement de tête.

— L'ennui, dit-elle, avec les tout-petits, c'est que le service laisse à désirer. J'en ai eu une à mes ordres, moi aussi, dans le temps. À peine plus grande que celle-ci. Oh! c'était il y a longtemps, avant le schisme.

— Avant le schisme? s'écria Olaf (et Prunille regretta l'absence de son frère; il lui aurait dit, lui, ce que signifiait ce mot). Alors ça remonte loin, en effet. Elle doit avoir grandi, cette petite, depuis!

— Pas forcément, dit la visiteuse.

Et elle se remit à rire, tandis que son compagnon se penchait pour mieux observer Prunille. De peur de croiser son regard, Prunille se concentra sur les souliers luisants du visiteur.

— Ainsi donc, voilà Prunille Baudelaire, dit-il de son étrange voix rouillée. Je vois, je vois. J'en ai tant entendu parler, de cette petite ! Elle a déjà causé à peu près autant d'ennuis que ses parents. (Il se redressa, prit à témoin le comte Olaf et sa troupe entière.) Mais les ennuis, nous autres, on sait s'en dépêtrer, pas vrai ? Un bon petit feu vient à bout de tout.

Il partit d'un grand rire, et sa comparse rit de plus belle. Après hésitation, le comte les imita, et il fit les gros yeux à sa troupe jusqu'à ce que toute la bande s'ébaudisse à gorge déployée – et Prunille se retrouva au milieu d'une bande de malfrats hilares.

— Si vous aviez vu ça ! dit la visiteuse entre deux hoquets. C'était grandiose. Pour commencer, nous avons incendié la cuisine. Puis nous avons incendié le réfectoire. Puis nous avons incendié le salon, puis le centre de déguisement, la salle de cinéma, les étables. Ensuite, nous sommes passés au gymnase, au centre de formation, aux laboratoires – tous les six ont brûlé. Puis nous avons mis le feu aux dortoirs, aux chambres, aux salles de classe, au salon de détente, au théâtre, aux salles de musique, au musée, à la crèmerie... Après ça est venu le tour des studios de répétition, des centres de tests, de la piscine – pas facile à faire flamber, une piscine. Restait à incendier les toilettes, toutes les salles de bain et, bouquet final, la bibliothèque. Ça, nous l'avons fait hier soir et je peux vous dire, je me suis régalée. Imaginez : tous ces bouquins réduits en cendres, que plus personne ne lira jamais. Là, tu as manqué quelque chose, Olaf ! Tous les matins, nous mettions le feu ; tous les soirs, nous faisions la fête. Ces tenues ininflammables, ça va faire combien de temps ?... Près d'un mois que nous les avons sur le dos. Oh ! ça a vraiment été quatre semaines de rêve.

— Mais pourquoi faire ça à petit feu ? Moi, quand je fais flamber, je fais flamber. Tout y passe d'un coup.

— Réfléchis un peu, Olaf, dit le sinistre visiteur. Faire brûler tout le Q. G. d'un coup, c'était le meilleur moyen de se faire repérer. Trop de fumée, beaucoup trop de fumée. Vous savez ce qu'on dit : « Pas de fumée sans feu. »

— Mais le faire brûler par petits bouts, intervint Esmé, ça n'a pas permis aux volontaires de décamper ?

— Ils avaient déjà filé, répondit le visiteur, se grattant le cuir chevelu là où manquaient les cheveux. Plus un chat. Nulle part. À croire qu'ils avaient été prévenus. Bon, on ne peut pas gagner à tous les coups.

— On en surprendra peut-être quelques-uns quand on fera flamber le parc forain, reprit la visiteuse de sa voix caverneuse.

— Parc forain ? répéta Olaf en état d'alerte.

— Oui, Caligari Folies, dit-elle, se grattant le menton là où manquait la barbe. Il y a une pièce à conviction de toute première importance cachée là-bas, dans une figurine. Pour la faire disparaître proprement, il faut réduire l'endroit en cendres.

— Caligari Folies, c'est fait, l'informa le comte Olaf.

— À fond ? insista la visiteuse.

— À fond, confirma Olaf avec un petit sourire nerveux.

— Alors félicitations, dit-elle de sa voix caverneuse. Tu es meilleur que je ne pensais, Olaf.

Il parut soulagé, comme s'il avait craint de se faire rabrouer.

— J'ai fait mon boulot, dit-il, modeste. Tout ça, c'est pour le bien suprême.

— En récompense, Olaf, reprit la visiteuse, j'ai un petit cadeau pour toi.

Prunille releva le nez pour épier du coin de l'œil. La visiteuse plongea la main dans la poche de son ensemble brillant et en tira une liasse de feuillets noués d'une grosse ficelle. Le papier semblait très vieux et tout écorné, comme s'il était passé entre de multiples mains, comme s'il avait été caché au fond de multiples tiroirs, divisé en multiples liasses, baladé aux quatre coins d'une ville puis réuni en liasse unique, sur le coup de minuit, dans l'arrière-boutique d'un café déguisé en magasin de sport.

Le comte Olaf ouvrit des yeux bien ronds, plus luisants encore que d'ordinaire, et tendit ses mains jaunes vers le petit paquet comme s'il se fût agi de la fortune Baudelaire elle-même.

— Le dossier Snicket ! exulta-t-il à mi-voix.

— Tout y est, assura la visiteuse. Les plans, les cartes, les listes, les photos, jusqu'au dernier document. Tout y est de l'unique dossier qui pourrait encore nous envoyer derrière les verrous.

— Tout sauf la page 13, naturellement, rectifia le visiteur. Celle-là, il semblerait que ces petits truands de Baudelaire l'aient chipée lors de leur passage à la clinique Heimlich.

Les deux visiteurs décochèrent à Prunille un regard incendiaire, et la petite ne put s'empêcher de gémir de frayeur.

— Apa, dit-elle ; ce qui signifiait, en gros : « Ce n'est pas moi qui l'ai. »

Traduire n'était pas nécessaire.

— Cette page, c'étaient les deux grands qui l'avaient, dit Olaf. Mais je mettrais ma tête à couper qu'ils ne sont plus de ce monde à l'heure qu'il est.

— En ce cas, conclut la visiteuse, tous nos soucis sont partis en fumée.

Le comte referma ses doigts griffus sur la liasse de vieux papiers et la serra contre son cœur comme il l'eût fait d'un nouveau-né, encore qu'il ne fût guère homme à cajoler un nouveau-né.

— C'est le plus beau cadeau que j'aie jamais reçu de ma vie, dit-il. Je vais lire tout ça séance tenante.

— Nous allons tous lire ce dossier séance tenante, rectifia la visiteuse. Il contient des secrets que nous devons tous connaître.

— Mais d'abord, intervint le visiteur, j'ai un cadeau pour ta petite amie, Olaf.

— Pour moi? s'étonna Esmé.

— J'ai trouvé ceci dans l'une des salles du Q. G., dit l'homme. Je n'en avais encore jamais vu en vrai, mais il faut dire que le temps où j'étais volontaire remonte à loin.

Avec un sourire en coin, il sortit de sa poche une sorte de mince cylindre verdâtre.

— Qu'est-ce que c'est? demanda Esmé.

— Une cigarette, je suppose, dit l'homme.

— Une cigarette! s'écria Esmé en extase. Quoi de plus tendance?

— J'ai pensé que ça vous ferait plaisir, dit le visiteur. Tenez. Goûtez-y. J'ai justement quelques allumettes...

Il fit craquer une allumette, enflamma l'extrémité du petit cylindre vert et tendit celui-ci à la scélérate, qui le lui prit des mains et se le cala entre les lèvres. Une odeur amère se répandit, pareille à celle d'épinards brûlés, et Esmé se mit à tousser.

— Eh bien ? Qu'est-ce qui vous arrive ? s'enquit la visiteuse. Je croyais que vous aimiez tout ce qui est tendance.

— J'adore, assura Esmé, et elle toussa de plus belle – un peu comme M. Poe, songea Prunille –, si fort que le mince cylindre vert lui échappa finalement des mains et alla rouler par terre, crachouillant sur la neige une fumée vert sombre. Si, si, j'adore les cigarettes, expliquait Esmé entre deux quintes. Simplement... je préfère... fumer... avec un fume-cigarette très long... parce que je n'aime pas trop l'odeur, ni le goût... et que c'est meilleur pour la santé, de toute façon.

— Peu importe, celle-ci est fichue, s'impatienta le comte Olaf. Allons sous ma tente et voyons ce dossier.

Il fit quelques pas, mais il entendit sa bande lui emboîter le pas et se retourna, sévère.

— Non ! Vous restez dehors, vous autres ! Dans ce dossier, il y a des renseignements qui ne sont absolument pas pour vous.

Les deux visiteurs éclatèrent de rire et suivirent Olaf et Esmé sous la tente, refermant l'auvent derrière eux. Prunille se retrouva donc seule avec ses anciens collègues de foire et les deux dames poudrées, et tous les six gardèrent longtemps les yeux sur l'auvent de toile, attendant la dissipation de l'aura de menace.

— C'est qui, ces gens ? s'informa une voix dans leur dos.

L'homme aux crochets revenait et il ne revenait pas bredouille. Cinq ou six beaux saumons pendaient à ses crochets, encore dégoulinants des eaux glacées de la Frappée.

— Aucune idée, répondit l'une des dames poudrées. Mais ils me font froid dans le dos.

— À votre avis, hasarda Otto, si ce sont des amis du comte Olaf, vous croyez qu'ils peuvent être encore plus forts que lui ?

Toute la troupe échangea des regards, mais la question resta sans réponse. Féval en posa une autre à la place :

— Qu'est-ce qu'il voulait dire, le barbu, avec son histoire de « Pas de fumée sans feu » ?

— Allez savoir, soupira Bretzella.

Un petit vent coulis s'était levé, et Prunille vit la contorsionniste onduler dans la brise, presque aussi sinueuse que la fumée verte qui montait encore de l'étrange cigarette recrachée par Esmé.

— Laissez tomber toutes ces questions, décida l'homme aux crochets. Moi, de question, j'en ai une et une bonne : ces saumons, la mouflette, tu vas nous les faire à quelle sauce ?

Il avait les yeux sur Prunille, mais la petite ne répondit pas tout de suite. Elle réfléchissait, et ses aînés auraient été fiers d'elle – Klaus parce que, dans sa tête, elle recherchait tout ce que pouvait signifier : « Pas de fumée sans feu », et Violette parce que, dans le même temps, elle essayait d'imaginer quelque chose d'inventif à souhait.

— Tu vas répondre, oui, vermisseau ? s'impatienta l'homme aux crochets. Qu'est-ce que tu comptes nous faire de bon avec ces saumons tout frais ?

— Lox ! répondit Prunille, très sûre d'elle.

Et c'était, d'une certaine façon, comme si les trois enfants Baudelaire avaient répondu en chœur.

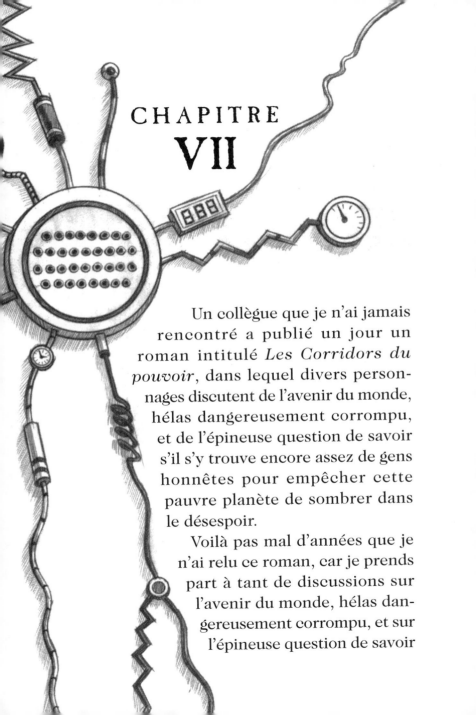

CHAPITRE
VII

Un collègue que je n'ai jamais rencontré a publié un jour un roman intitulé *Les Corridors du pouvoir*, dans lequel divers personnages discutent de l'avenir du monde, hélas dangereusement corrompu, et de l'épineuse question de savoir s'il s'y trouve encore assez de gens honnêtes pour empêcher cette pauvre planète de sombrer dans le désespoir.

Voilà pas mal d'années que je n'ai relu ce roman, car je prends part à tant de discussions sur l'avenir du monde, hélas dangereusement corrompu, et sur l'épineuse question de savoir s'il s'y trouve encore assez de gens honnêtes pour empêcher cette pauvre planète de sombrer dans le désespoir, que je suis assez peu tenté, dans mes rares moments de loisirs, de lire des romans sur le même thème. Cependant, l'expression «corridors du pouvoir» a fait fortune, et désigne désormais tous ces lieux secrets et feutrés où l'on débat de questions cruciales.

Qu'il s'agisse ou non de vrais couloirs, les corridors du pouvoir respirent le mystère et le secret. S'il vous est arrivé de pénétrer dans un bâtiment important, une grande bibliothèque officielle ou même une clinique dentaire où un spécialiste a accepté de vous remanier le sourire, vous avez peut-être éprouvé cette sensation très spéciale que suscitent les corridors du pouvoir.

Cette sensation, en tout cas, Violette et Klaus Baudelaire l'éprouvèrent avec force lorsque, atteignant enfin la Sortie nord du puits de ventilation, ils suivirent le scout au gros pull hors du passage secret. Même à travers leur masque, ils sentaient bien qu'ils se trouvaient en un lieu important. Ce n'était jamais qu'un couloir sombre et incurvé, avec une petite grille au plafond par laquelle filtrait un début de jour, mais l'impression était là, puissante.

— C'est ici que s'échappe la fumée, chuchota le mystérieux scout, indiquant la grille d'aération au plafond. Comme ça débouche au beau milieu du Sous-bois aux neuf percées à tout vent, la fumée se dissipe aux quatre vents. Ce qui est idéal : nul ne la voit.

— Oui, dit Violette. Sinon, les gens se diraient : « Oho ! Pas de fumée sans feu. »

— Exactement, approuva le scout. À voir cette fumée au milieu de nulle part, n'importe qui trouverait ça louche et lancerait une enquête. D'ailleurs, j'ai déniché un petit truc-machin qui fonctionne exactement sur ce principe : la fumée attire l'attention.

Il farfouilla dans son sac à dos et en tira une petite boîte emplie de minces cylindres verts identiques à celui que Prunille avait vu le sinistre visiteur offrir à Esmé.

— Euh, non merci, dit Violette. Je ne fume pas.

— Moi non plus, dit le scout. Mais ce ne sont pas des cigarettes. Ce sont des Signaux neutres à portée de vue, S.N.P.V. Si j'ai bien compris, quand on allume ces trucs-là, ils dégagent une fumée verte que seul un membre de S.N.V.P. interprète comme un signal de détresse.

Klaus prit la petite boîte et l'examina de près dans la pénombre.

— Hmm, ces trucs-là, dit-il à mots lents, j'en ai déjà vu une boîte, il y a longtemps... Dans un tiroir du bureau de mon père, un jour que je cherchais l'ouvre-lettres. Je me souviens d'avoir trouvé ça bizarre, parce que je ne l'avais jamais vu fumer.

— Il devait les cacher, murmura Violette. Mais pourquoi ? Pourquoi en faire un secret ?

— C'est tout S.N.P.V. qui est secret, chuchota le scout. Toute l'association, toute la confrérie, je ne sais même pas comment la nommer. J'ai eu un mal fou à dénicher l'emplacement exact de ce Q. G.

— Nous aussi, dit Klaus. Pour finir, nous l'avons trouvé sur une carte, une carte codée.

— Moi, il a fallu que je dessine ma propre carte, chuchota le scout, et il plongea la main dans la poche de son pull. Il alluma sa lampe de poche et les deux jeunes Baudelaire le virent ouvrir un gros carnet à reliure violet sombre.

— C'est quoi, ça ? demanda Violette.

— Mon calepin.

— Je croyais que c'était plus petit, un calepin.

— Pas du tout, au contraire ! Le premier calepino était un énorme dictionnaire bourré de notes. Ambrogio Calepino, un moine du XVᵉ siècle, je crois, avait passé sa vie à l'écrire. Depuis, le nom désigne n'importe quel bloc-notes ou carnet fourre-tout. En tout cas, moi, chaque fois que je tombe sur un truc digne d'intérêt, hop ! je le note dans mon calepin. De cette façon, j'ai toujours sur moi, regroupés, tous les renseignements qui m'ont paru importants.

— Je devrais bien en faire autant, dit Klaus. J'ai toujours les poches qui débordent de bouts de papier.

— À partir de renseignements pêchés dans le bouquin du professeur Montgomery et dans quelques autres, poursuivit le garçon, j'ai pu dessiner une carte qui indique le chemin à suivre à partir d'ici.

Il feuilleta les pages et cala le doigt sur un croquis au crayon, petit mais élégant, représentant la caverne des Soldats des neiges pacifiques et valeureux, la Sortie nord du conduit de ventilation et le corridor dans lequel ils se trouvaient à présent.

— Regardez, dit-il, suivant du doigt le tracé du couloir. Un peu plus loin, nous allons nous trouver face à un embranchement...

— C'est rudement bien dessiné, commenta Violette.

— Merci. La cartographie, j'aime. Et depuis déjà pas mal de temps. Bien. Si nous prenons sur la gauche, nous tombons sur ce petit hangar réservé au rangement des traîneaux et des tenues de ski, du moins d'après ce que j'ai lu. Mais si nous prenons sur la droite, nous devrions arriver à une grande porte équipée d'un Système novateur de protection par verrouillage, S.N.P.V. – là, vous en savez aussi long que moi. Et cette porte devrait ouvrir

directement sur les cuisines du Q. G. Imaginez...
Nous allons peut-être tomber sur toute la commu-
nauté en train de prendre son petit-déjeuner ?

Les enfants Baudelaire échangèrent un regard à
travers leur masque et Violette pressa l'épaule de
son frère. Aucun d'eux n'osait dire tout haut son
espoir fou, retrouver l'un de leurs parents derrière
cette fameuse porte, à moins de cent pas de là.

— Allons-y, souffla Violette.

Sans un mot, le scout ouvrit la voie le long du
couloir, dont l'air humide et glacé se faisait plus
mordant à chaque pas. Ils étaient à présent si loin
de Bruce et de sa petite bande que faire silence ne
rimait sans doute plus à rien, et pourtant ils restèrent bouche close tout au long du couloir incurvé,
rendus muets par la sensation de longer les corridors du pouvoir.

Ils parvinrent enfin à une grosse porte blindée,
équipée d'un curieux engin en lieu et place de
poignée. On aurait dit une espèce d'araignée, avec
des fils en guise de pattes, s'étirant dans toutes les
directions, et, en guise de corps et d'yeux, une sorte
de clavier alphabétique. Violette avait beau avoir
d'autres chats à fouetter, son esprit inventif en fut
tout émoustillé. Elle se pencha pour regarder la
chose de plus près, mais le scout lui saisit le bras.

— Attention ! C'est un digicode. Il ne faut
surtout pas le tripatouiller n'importe comment, il

risquerait de se bloquer. Et ce serait fichu, terminé. Plus moyen d'entrer dans le Q. G.

— Ça marche comment ? s'enquit Violette avec un petit frisson.

— Je n'en suis pas certain à cent pour cent, avoua le garçon au gros pull, et il rouvrit son calepin. C'est fermé par un Système novateur de protection par verrouillage dont les codes sont des notions de culture générale.

— Regardez ces fils reliés aux gonds de la porte, observa Violette. Parions que, pour débloquer le système, il faut taper sur le clavier une suite de lettres dans l'ordre voulu. C'est ingénieux : il existe plus de lettres que de chiffres, donc il est plus difficile encore de tomber par hasard sur la bonne combinaison.

— D'après ce que j'ai noté ici, c'est bien ça, confirma le garçon, le nez dans son calepin. On est censé taper trois séries de mots bien précis. Les mots changent à chaque saison, pour plus de sûreté. Pour la première série – espérons que le code n'a pas changé – voici la définition : nom du savant auquel on attribue en général la découverte de la gravitation universelle.

— Facile, dit Violette. Je tape ?

Mais déjà elle avait commencé, S, I, R, I, S, A, A, C, N, E, W, T, O, N, nom d'un grand physicien qu'elle avait toujours admiré. Après le dernier N, un cliquetis assourdi se fit entendre du côté du clavier, comme si l'engin se dégourdissait.

— Pour la deuxième série de mots, annonça le scout, la définition est : nom d'espèce, en latin, des Soldats des neiges. Ça, je l'ai trouvé dans *Phénomènes remarquables des monts Mainmorte*. C'est : *Panthera leo*.

Il s'inclina vers le clavier et tapa d'un doigt précautionneux : P, A, N, T, H, E, R, A, L, E, O.

À nouveau, l'engin bourdonna tout bas, et les enfants virent les fils s'agiter doucement près des gonds.

— Ça commence à se déverrouiller, on dirait bien, murmura Violette. J'espère avoir le temps d'examiner de plus près cette invention.

— Oui, mais d'abord, on entre dans le Q. G., dit Klaus. Et la troisième série de mots ?

Le scout soupira et tourna une page de son calepin.

— Là, c'est un peu problématique. D'après ce qu'un volontaire m'a dit, la définition serait : thème central du roman de Tolstoï, « Anna Karénine ». L'ennui, c'est que je n'ai pas trouvé le temps de le lire, ce roman.

Violette se tourna vers son frère. Sous son masque, elle en était sûre, il avait le sourire. Elle revoyait encore un certain été lointain, du temps où Klaus était petit et Prunille pas même en projet. Chaque été, leur mère lisait un long roman, affirmant que soulever un gros livre était le seul exercice physique qui la tentait par temps de canicule. Cette année-là, c'était Anna Karénine qu'avait choisi Mme Baudelaire comme lecture d'été, et Klaus, qui passait des heures sur ses genoux, avait plus ou moins lu le roman avec elle. Comme il ne savait lire que depuis peu, leur mère l'avait aidé pour les mots difficiles et elle avait pris le temps, un peu chaque jour, de lui expliquer les tenants et les aboutissants du récit, expression signifiant ici : « les rebondissements du roman ». De la sorte, tout au long de l'été, Klaus et sa mère avaient suivi la triste histoire de Mme Karénine, que son bien-aimé traite si peu galamment qu'elle finit par se jeter sous un train. Violette, de son côté, avait passé le plus clair de cet été-là à étudier les lois de la thermodynamique et à bricoler un hélicoptère miniature à partir d'un vieux batteur à œufs, mais elle était certaine que Klaus se souvenait du thème central de ce roman lu sur les genoux maternels.

Et en effet Klaus n'hésita guère.

— Le thème central d'Anna Karénine ? Il est qu'une vie rurale simple et morale, malgré une certaine monotonie, est pour l'individu largement préférable à une vie d'audace et de passion impulsive, qui ne conduit qu'à la tragédie.

— C'est long, comme thème, fit remarquer le scout.

— C'est un très long roman, répondit Klaus.
Mais pas de problème, je peux taper vite. Mes sœurs
et moi, un jour, nous avons envoyé un très long
télégramme en un rien de temps.

— Dommage que ce télégramme ne soit jamais
arrivé, dit le scout à mi-voix.

Mais déjà Klaus pianotait sur le clavier du
Système novateur de protection par verrouillage.
À peine avait-il tapé V, I, E, R, U, R, A, L, E, autrement dit : « vie à la campagne », que les fils se
mirent à onduler aussi allègrement que des vers
de terre après la pluie. Et, lorsqu'il en arriva à P, O,
U, R, L, I, N, D, I, V, I, D, U, autrement dit : « pour
les gens comme vous et moi, et non les personnages de roman », toute la porte blindée fut prise
de tremblements, apparemment aussi fébrile que
les enfants.

Pour finir, Klaus pianota T, R, A, G, E, D, I, E, et
les trois enfants reculèrent d'un pas. Mais la porte,
au lieu de s'ouvrir, mit fin à sa transe. Les fils s'immobilisèrent, le silence retomba.

— Elle ne s'ouvre pas, chuchota Violette. Ce
n'est peut-être pas ça, le thème central d'Anna
Karénine.

— Pourtant, jusqu'au dernier mot, ça avait l'air
de marcher, rappela le scout.

— Peut-être que le mécanisme est un peu
grippé, dit Violette.

— Ou peut-être qu'une vie d'audace et de passion impulsive conduit à tout autre chose, dit le scout.

En quoi il n'avait pas entièrement tort, il faut l'admettre. Tout dépend des circonstances. Une «vie d'audace et de passion impulsive» signifie simplement: «la vie de ceux qui suivent leurs impulsions». Or, suivre ses impulsions, tout comme suivre la voix de la raison, les conseils de son banquier, un inconnu dans la rue, un régime ou un mode d'emploi, peut conduire absolument n'importe où, pas seulement à la tragédie. Par exemple, dans un gros livre intitulé la Bible, on trouve l'histoire d'Adam et Ève, qu'une vie d'audace et de passion impulsive conduisit à devoir s'habiller alors qu'ils étaient si bien tout nus, et à quitter le jardin infesté de serpents où ils avaient jusqu'alors vécu heureux. Autre couple célèbre, Bonnie et Clyde, qu'une vie d'audace et de passion impulsive conduisit à une carrière dans la banque, brève mais brillante. Enfin, dans mon propre cas, les rares fois où j'ai mené une vie d'audace et de passion impulsive, je me suis retrouvé dans toutes sortes de situations impossibles, comme de me faire accuser à tort d'incendies criminels ou de mettre hors d'état, irrémédiablement, d'excellents boutons de manchette.

Cela dit, dans le cas présent, le cas de Klaus et Violette plantés devant la porte à Système novateur de protection par verrouillage et espérant de tout cœur pénétrer dans le Q. G. de S.N.P.V. et retrouver peut-être l'un de leurs parents bien vivant, puis délivrer leur petite sœur, ce n'était pas le scout au gros pull qui avait raison. C'étaient les deux jeunes Baudelaire. Car, ainsi que l'avait dit Klaus, dans Anna Karénine, une vie d'audace et de passion impulsive ne conduit qu'à la tragédie, et, ainsi que l'avait dit Violette, le mécanisme était un peu grippé. Au bout d'une poignée de secondes, la porte s'ouvrit sans hâte, avec un long grincement peu avenant.

Les enfants respirèrent un grand coup et, clignant des yeux dans la lumière vive, ils firent quelques pas en avant. Puis ils se figèrent.

Si vous avez lu de bout en bout les tristes aventures des orphelins Baudelaire, ce qui va suivre ne vous surprendra pas.

Le quartier général de S.N.P.V., le fameux Q. G. des monts Mainmorte, au milieu du Sous-bois aux neuf percées à tout vent, était à rayer de la carte.

Vous n'êtes pas surpris, sans doute, mais Violette et Klaus Baudelaire ne lisaient pas leur histoire – ils la vivaient, ils étaient dedans. Et le choc qu'ils éprouvèrent leur retourna l'estomac.

La porte à Système novateur de protection par verrouillage n'ouvrait plus sur les cuisines. Les enfants avaient sous les yeux un immense rectangle charbonneux, tel un vaste champ où ondulait une récolte noire et grumeleuse, au fond d'une vallée aussi battue des vents que l'annonçait son nom.

Au début, ils ne perçurent qu'une sorte de trouée sombre, puis, peu à peu, ils distinguèrent des formes, les vestiges calcinés de ce qui avait dû être un imposant ensemble de bâtiments, commençant là même où ils se tenaient. Non loin d'eux gisaient des vestiges d'argenterie, au pied des débris d'un fourneau, ainsi qu'un réfrigérateur miraculeusement rescapé de la fournaise. Toujours debout, un peu noirci, ce frigo semblait veiller sur les cendres de ce qui avait dû être une vaste cuisine. Sur un côté s'empilaient des planches calcinées, probablement les restes d'une très grande table, surmontées d'un chandelier aux trois quarts fondu, pareil à un petit arbre torturé. Plus loin, on devinait les formes énigmatiques d'autres objets ayant tenté de résister au brasier – un trombone, un balancier d'horloge, une silhouette évoquant vaguement un périscope ou peut-être une longue-vue, une cuillère à crème glacée tristement enfoncée dans une croûte caramélisée, ainsi qu'une arche de fer forgé portant fièrement l'inscription : « S.N.P.V. – Bibliothèque ». Hélas ! derrière cette arche, il n'y avait plus que des monceaux de débris charbonneux encore tièdes. C'était à vous ravager le cœur, à vous donner l'impression de vous retrouver seul au monde, seul au milieu d'un univers dévasté.

Une chose, apparemment, avait été épargnée par le feu : une immense muraille blanche, très haute, en dehors du bâtiment, à l'écart. Elle était si haute qu'au premier regard, on n'en voyait pas le faîte. Il fallut aux enfants une bonne minute pour découvrir qu'il s'agissait d'une cascade prise en glace, le bas d'un torrent qui dévalait le flanc de la montagne, pente glissante, depuis la source de la Frappée, près du sommet du mont Augur. La glace était si blanche, si brillante que les vestiges calcinés en semblaient plus noirs encore.

— Ça a dû être rudement beau, ici, chevrota très bas le scout au gros pull.

Il se mit en marche vers le torrent gelé, et chacun de ses pas brassait les cendres et les décombres.

— D'après ce que j'ai lu, il y avait là une immense baie vitrée, reprit-il avec un geste de sa main gantée, comme pour essuyer une vitre invisible. Quand on était de corvée de patates, on pouvait admirer la cascade tout en maniant l'épluche-légumes. On disait que c'était très apaisant. Et il y avait aussi un mécanisme pour transformer en vapeur une partie de l'eau du trou d'eau. La vapeur, en montant, masquait tout le Q. G. sous une nappe de brouillard.

Klaus et Violette le rejoignirent et contemplèrent le trou d'eau pris en glace, au bas de la cascade gelée. À partir du trou d'eau, le torrent se divisait en deux bras qui se dirigeaient chacun de son côté, contournant le Q. G. dévasté pour s'enfoncer dans les monts Mainmorte avec force méandres. Violette et Klaus, le cœur serré, reconnurent les fins copeaux glacés, noirs et gris, qu'ils avaient notés en longeant la Frappée.

— C'étaient des cendres, dit Klaus à mi-voix. Des cendres emportées par le courant.

Violette saisit la balle au bond. Plutôt discuter d'un point de détail que ruminer l'immense déception.

— Le courant ? dit-elle. Mais le trou d'eau est gelé. Je ne vois pas comment...

— Hmm, fit Klaus. La chaleur de la fournaise a dû faire dégeler le trou d'eau momentanément.

— En tout cas, murmura le scout au gros pull, ça a dû être horrible à voir.

Les trois enfants, en silence, imaginèrent le brasier. Il leur semblait presque entendre les vitres voler en éclats, les flammes géantes crépiter, dévorant tout sur leur passage. Il leur semblait presque étouffer dans la fumée qui s'élevait en épaisses volutes d'un gris jaunâtre et obscurcissait le ciel entier. Il leur semblait presque voir les rayonnages de la bibliothèque basculer au ralenti et les livres s'écrouler d'un bloc, changés en cendres. La seule chose sur laquelle butait leur imagination était une question lancinante. Qui s'était trouvé là lorsque le feu s'était déclaré ? Qui avait dû courir dans le froid pour échapper au brasier ?

— Vous pensez qu'il y avait... hésita Violette.

— À mon avis, dit le scout très vite, au moment du sinistre, il n'y avait personne sur place. En tout cas, on n'en voit pas trace.

— Mais comment en être sûr ? dit Klaus. Même encore maintenant, il pourrait y avoir un survivant, ou plusieurs, quelque part pas loin d'ici.

— Ohé ? appela Violette, scrutant le champ calciné. Ohé ?

Et, sans prévenir, ses yeux s'emplirent de larmes. Ceux qu'elle appelait, elle le savait, n'étaient nulle part aux alentours. Il lui semblait tout à coup n'avoir cessé de les appeler dans sa tête depuis ce sinistre jour, à la plage, comme si, à force d'appeler, elle allait les faire réapparaître. Elle songea à toutes les fois où elle les avait appelés en vrai, avant, du temps où toute la famille vivait dans la grande demeure Baudelaire. Tantôt elle les avait appelés pour leur montrer une merveille qu'elle venait juste de bricoler. Tantôt elle les avait appelés pour annoncer qu'elle venait de rentrer. Tantôt encore elle les avait appelés simplement pour savoir où ils étaient. Oui, parfois elle avait seulement souhaité les voir, et se sentir en sécurité.

— Maman ! appela Violette Baudelaire. Papa!

Personne ne répondit.

— Maman ! appela Klaus. Papa !

Mais il n'y avait rien à entendre, rien d'autre que le chuchotis du vent – puis, brusquement, un claquement de porte, la porte à Système novateur de protection par verrouillage qu'une rafale venait de refermer. Les enfants la cherchèrent des yeux derrière eux, mais elle se confondait avec la paroi rocheuse, si bien qu'ils distinguaient à peine par où ils étaient arrivés. Cette fois, ils étaient vraiment seuls.

— Nous espérions trouver des gens ici, tous les trois, dit le scout au gros pull d'une voix douce. Mais je crois bien qu'il n'y a personne. Cette fois, nous sommes vraiment seuls.

— Mais c'est impossible ! protesta Klaus.

Et Violette, au son de sa voix, comprit qu'il pleurait.

Puis elle le vit farfouiller au travers de ses multiples épaisseurs de vêtements, retrouver sa poche à trésors et en ressortir la page 13 du dossier Snicket, qu'il conservait précieusement sur lui depuis qu'ils l'avaient découverte tous trois aux Archives de la clinique Heimlich. Sur ce simple feuillet était agrafé un cliché montrant leurs parents encore jeunes, debout aux côtés de Jacques Snicket et d'un autre homme que les enfants n'avaient pas pu identifier. Sous ce cliché figurait une phrase que Klaus connaissait par cœur depuis longtemps.

«En raison de l'indice examiné p. 9, marmotta-t-il de mémoire, les experts estiment aujourd'hui que l'incendie pourrait bien avoir laissé un survivant, mais nul ne sait pour l'heure où celui-ci se trouve.»

Il se tourna vers le scout et agita la page devant son masque.

— Nous espérions que ce survivant serait ici.

— Il y a bien un survivant ici, dit alors le scout à mi-voix, et il retira son masque, révélant son visage. Je suis Petipa Beauxdraps, plus connu sous le nom de Quigley, et j'ai survécu à l'incendie qui a détruit notre maison. Moi, j'espérais trouver ici mon frère et ma sœur...

CHAPITRE
VIII

C'est l'une des étrangetés de la vie : bien souvent nous disons des choses que nous savons parfaitement absurdes. Par exemple, on vous demande si vous allez bien et vous répondez : « Très bien, merci ! », alors même que vous venez de vous faire recaler à un examen ou piétiner par une paire de bœufs. Ou encore, quelqu'un vous dit : « Tu n'aurais pas vu mes clés ? Je les ai cherchées partout, j'ai remué ciel et terre ! » ; or vous savez, comme lui, qu'il s'est contenté de soulever une ou deux piles de vieux papiers, un parapluie, un peu de vaisselle sale. Autre exemple, un jour j'ai dit à une femme que j'aimais plus que tout au monde : « Bientôt, c'en sera

fini de nos ennuis, j'en suis sûr, et nous vivrons
heureux, tous deux, jusqu'à la fin de nos jours »,
alors qu'en réalité j'avais le sombre pressentiment
que les choses allaient empirer, au contraire. De la
même façon, face au troisième triplé Beauxdraps,
les aînés Baudelaire s'entendirent prononcer des
absurdités.

— Mais... mais tu es mort, l'informa Violette, et
elle retira son masque pour s'assurer qu'elle voyait
clair.

Et elle voyait clair. Indéniablement, c'était bien
le troisième triplé qui se tenait là. Sans l'avoir
jamais rencontré, Violette et Klaus en auraient mis
leur main à couper, tant il ressemblait à Duncan et
à Isadora.

— Tu... tu as péri dans les flammes, affirma
Klaus. Avec tes parents, dans l'incendie qui a détruit
votre maison.

Mais, tout en retirant son masque, il voyait bien
que tel n'était pas le cas. Le petit sourire timide
qu'avait le scout au gros pull à l'instant même était
exactement celui de son frère et de sa sœur.

— Non, leur dit Quigley. J'ai échappé aux
flammes. Et, depuis, je remue ciel et terre pour
retrouver ma sœur et mon frère.

— Échappé aux flammes, mais comment ?
s'étonna Violette. D'après Duncan et Isadora, il n'est
rien resté de votre maison.

— Rien, confirma Quigley. C'est vrai. (Les yeux sur le torrent gelé, il eut un profond soupir.) Bon, je ferais mieux de tout vous raconter. J'étais à la maison, dans la bibliothèque, en train d'examiner une carte de la forêt de Renfermy, lorsque j'ai entendu un bruit de verre cassé, des cris. Ma mère a ouvert la porte à la volée, hurlant : « Au feu ! Vite ! Sortez tous ! » Nous avons couru vers l'entrée, elle et moi, mais le vestibule était envahi de fumée, alors nous avons fait machine arrière, retour à la bibliothèque, et là, ma mère a soulevé un coin du tapis. Par-dessous, il y avait une trappe dont j'ignorais l'existence. Ma mère m'a dit d'attendre en bas, le temps qu'elle aille chercher mon frère et ma sœur, et elle m'a laissé là, dans le noir. Au-dessus de moi, je me souviens, j'entendais la maison s'écrouler, j'entendais des bruits de galopade. À un moment donné, j'ai entendu mon frère et ma sœur hurler...

Quigley déposa son masque à terre et regarda Violette et Klaus tour à tour, puis il reprit d'une voix plate :

— Moi, j'attendais, comme on me l'avait dit. Ma mère n'est jamais revenue. Personne n'est jamais revenu. Quand j'ai voulu soulever la trappe, rien à faire. Quelque chose était tombé par-dessus.

— Et alors ? demanda Klaus. Tu es sorti comment ?

— À pied, bêtement. Quand j'ai compris que personne ne reviendrait me chercher, j'ai exploré l'endroit à tâtons et j'ai fini par me rendre compte que je n'étais pas dans une cave, mais dans une espèce de souterrain, un boyau qui avait l'air de mener ailleurs. Je l'ai suivi à tâtons, que faire d'autre ? Oh ! je n'en menais pas large. J'avais même une sacrée frousse, à marcher comme ça dans le noir, le long d'un souterrain dont jamais nos parents ne nous avaient parlé. Et je me demandais bien où j'allais arriver.

Klaus et Violette échangèrent un regard. Tous deux songeaient à ce souterrain qu'ils avaient découvert, eux aussi, reliant leur ancienne demeure à l'immeuble de leurs tuteurs de l'époque, Esmé d'Eschemizerre et son mari.

— Et alors ? demanda Violette. Tu t'es retrouvé où ?

— Oh ! très loin. Au domicile d'un herpétologue. Tout au bout du souterrain, après des kilomètres et des kilomètres, il y avait une porte secrète qui ouvrait sur une salle immense, vitrée du sol au plafond. Toute la salle était emplie de cages vides, dont il était clair qu'elles avaient logé une énorme collection de reptiles.

— Hé ! mais c'était chez l'oncle Monty ! s'écria Klaus interloqué. On y a séjourné, nous, là-bas. Même que c'était notre tuteur, jusqu'au moment où le comte Olaf a débarqué, déguisé en...

— En garçon de laboratoire, je sais, acheva Quigley. Stephano. Sa valise était encore là-bas.

— Chez nous aussi, il y avait un souterrain secret, dit Violette. Mais nous ne l'avons découvert qu'après, quand nous habitions boulevard Noir.

— Des secrets, il y en a partout, assura Quigley. Je dirais même que tous les parents ont leurs secrets. La question est de savoir où chercher.

— Mais n'empêche, dit Klaus. J'aimerais bien qu'on m'explique pourquoi chez nos parents, et chez les tiens, il y avait des souterrains secrets menant à des immeubles chics ou à des villas d'herpétologues. Ça ne rime à rien.

Quigley soupira et déposa son sac à terre, dans les cendres, à côté de son masque.

— Des choses qui ne riment à rien, il y en a beaucoup d'autres. Et des tas de questions en suspens. J'espérais qu'ici on trouverait des réponses, mais je commence à me demander si nous les aurons un jour, ces réponses. (Il ressortit son gros carnet et l'ouvrit à la première page.) Tout ce que je peux vous dire, c'est ce que j'ai noté dans mon calepin.

Klaus eut un bref sourire, et lui aussi tira de sa poche ses précieux papiers.

— Dis-nous ce que tu sais, proposa-t-il, et nous te dirons ce que nous savons. Peut-être que nos renseignements croisés vont nous donner quelques réponses!

Quigley acquiesça et les trois enfants s'assirent en cercle sur ce qui avait été le dallage de la cuisine. Quigley ouvrit son sac à dos et en sortit un sachet d'amandes salées qu'il fit passer à la ronde.

— Vous devez avoir un petit creux, après notre grimpette. Moi, oui, en tout cas. Bon, j'en étais où ?

— Au laboratoire aux reptiles, rappela Violette. À la sortie du souterrain.

— Ah oui. Donc, j'arrive là. J'appelle. Rien. Silence. Maison déserte. Sur le seuil de la porte, il y avait un numéro du *Petit pointilleux*, avec un article sur l'incendie. C'est comme ça que j'ai appris que mes parents étaient morts. J'ai attendu le soir. Toujours personne. Le lendemain, pareil. Et même chose le surlendemain. Moi, j'étais tellement écrasé de chagrin, tellement terrorisé que je n'arrivais même pas à penser. J'attendais vaguement le retour de l'herpétologue, j'imagine, dans l'espoir qu'il s'agirait d'un ami de mes parents et qu'il pourrait m'aider. Le frigo et les placards de la cuisine étaient pleins, donc j'avais de quoi survivre. Et tous les soirs, je dormais au pied des escaliers pour être sûr, si quelqu'un venait, de l'entendre tout de suite.

Les enfants Baudelaire hochaient la tête. Ils comprenaient, oh ! ils comprenaient. Violette posa une main sur l'épaule de Quigley.

— Nous, c'était pareil, tu sais, murmura-t-elle, quand on a appris la nouvelle, pour nos parents. Je ne me rappelle plus rien, ni ce que nous avons dit, ni ce que nous avons fait.

— Mais personne ne te cherchait ? s'étonna Klaus.

— *Le petit pointilleux* m'avait déclaré mort dans l'incendie, moi aussi. L'article ajoutait que mon frère et ma sœur avaient été envoyés en pension à l'Institut J. Alfred Prufrock, et que la gestion des biens de nos parents était confiée au sixième conseiller financier de la ville par rang de chiffre d'affaires...

— Esmé d'Eschemizerre ! s'écrièrent Klaus et Violette en chœur, expression signifiant ici : « parfaitement en même temps et sur le même ton de dégoût ».

— Tout juste, dit Quigley. Mais bon, moi, cette partie-là ne me passionnait pas. En revanche, quand j'ai recommencé à réfléchir, une idée m'est venue : aller à ce collège pour retrouver Duncan et Isadora. J'avais découvert un atlas dans la bibliothèque du professeur Montgomery et j'y ai vite repéré l'Institut Prufrock. Comme ça ne semblait pas si loin, j'ai commencé à réunir deux ou trois choses en vue de ce voyage.

— Mais... demanda Klaus, tu n'as pas songé à alerter les autorités ?

— Je n'avais pas encore toute ma tête, je pense. J'avais une idée fixe : retrouver mon frère et ma sœur.

— Et alors ? dit Violette.

— Et alors, à ce moment-là, j'ai été interrompu. Juste au moment où je fourrais l'atlas dans le sac de sport que je comptais prendre, quelqu'un est entré dans la maison. C'était Jacques Snicket – que je ne connaissais pas, bien sûr. Mais lui s'est présenté, il savait qui j'étais, il était fou de joie de me voir en vie.

— Et tu ne t'es pas méfié de lui ? Tu lui as fait confiance comme ça, sur sa bonne mine ?

— Euh... Pour commencer, il connaissait l'existence du souterrain. En fait, il savait pas mal de choses sur ma famille, même s'il prétendait ne pas avoir revu nos parents depuis des années. Et aussi...

— Et aussi ? insista Violette.

Quigley sourit, un peu gêné.

— Et aussi c'était quelqu'un de cultivé, quelqu'un qui avait beaucoup lu, ça se voyait. D'ailleurs, c'était pour ça qu'il venait chez le professeur Montgomery. Pour lire. D'après lui, il y avait un dossier important quelque part chez le professeur, et il comptait rester plusieurs jours, pour essayer de boucler des recherches.

— Et il ne t'a pas conduit à Prufrock, lui ?

— Il disait qu'il valait mieux que personne ne
me voie, que c'était moins dangereux pour moi.
Il m'a expliqué qu'il faisait partie d'une société
secrète, à laquelle mes parents avaient appartenu
aussi.

— S.N.P.V., souffla Klaus, et Quigley fit oui de
la tête.

— Duncan et Isadora voulaient nous expliquer,
pour S.N.P.V., dit Violette. Ils avaient découvert
des choses, mais le temps nous a manqué pour en
discuter. Nous ne savons même pas à quoi correspondent ces quatre lettres.

— Oh ! apparemment, elles correspondent à des
tas de choses, reprit Quigley, feuilletant à nouveau
son calepin. Presque tout, dans cet organisme,
semble avoir ces quatre initiales.

— Mais c'est quoi, au juste, comme société
secrète ? essayait de comprendre Violette. Pourquoi
S.N.P.V. ?

— Jacques n'avait pas l'air disposé à me le dire.
Mais je me demande si ça ne serait pas quelque
chose comme : Suprématie du noble pouvoir de la
vérité.

— Klaus incertain, se tourna vers Quigley. Tu
es sûr ?

— Pas à cent pour cent mais, d'après ce que
disait Jacques, ce serait l'un des sens. J'ai cru
comprendre qu'il y en avait d'autres.

— Mais quel rapport avec nos parents ? s'entêta Violette. Quel rapport avec le comte Olaf, avec tout ce qui nous est arrivé ? Dire que j'avais cru que savoir à quoi correspondaient ces quatre lettres résoudrait tout ! Si tu dis vrai, merci bien ! Ça fait encore plus embrouillamini qu'avant.

— Mais pourquoi pourchasser la vérité en secret ? demanda Klaus.

— Et pourquoi un souterrain secret sous notre maison ? poursuivit Violette.

— D'après Jacques, ces souterrains ont été creusés par les membres de la société secrète, reprit Quigley. En cas d'urgence, c'était un moyen de filer en lieu sûr.

— Sauf que celui qui part de chez nous mène tout droit chez Esmé, rappela Klaus. Comme lieu sûr, on fait mieux !

— C'est qu'il s'est passé des choses, dit Quigley. Des choses qui ont tout chamboulé. (Il feuilleta son calepin, très vite, jusqu'à trouver la page qu'il cherchait.) Jacques Snicket parlait d'un « schisme ». Je ne sais pas trop ce que c'est, un « schisme ».

— Un schisme ? dit Klaus. C'est quand un groupe qui était uni se scinde en deux, je crois. Quand il se divise en deux ou plusieurs groupes qui s'opposent. On appelle ça aussi une « scission », ou encore une «dissidence». C'est un peu comme une grande prise de bec, où chacun prend parti pour un bord ou pour l'autre.

— Je vois, murmura Quigley, songeur. D'après ce qu'en disait Jacques, le groupe aurait quasiment éclaté. En tout cas, maintenant, ce serait le souk. Des gens qui travaillaient au coude à coude changés en ennemis jurés. Des lieux autrefois sûrs devenus des coupe-gorge. Les mêmes codes, les mêmes déguisements servant aux partis opposés. Même l'insigne S.N.P.V. qui, autrefois, représentait les nobles idéaux du groupe... Et maintenant, d'après Jacques, tout ça est parti en fumée.

— Mais comment se serait produit ce schisme ? demanda Violette. Sur quoi portait la dispute ?

— Je n'en sais rien, avoua Quigley. Jacques n'avait pas trop le temps de m'expliquer les choses en détail.

— Qu'est-ce qu'il faisait, au juste ? demanda Klaus.

— Il vous cherchait. Partout. Il m'avait montré une photo de vous trois, en train d'attendre sur un quai au bord de l'eau, je ne sais plus où, en me demandant si je vous avais vus quelque part. Il savait que vous aviez été confiés au comte Olaf et que les choses avaient très mal tourné. Il savait qu'ensuite on vous avait placés chez le professeur Montgomery. Il était même au courant de quelques-unes de tes inventions, Violette, et de tes recherches, Klaus, et de certains des exploits dentaires de Prunille. Il répétait qu'il fallait absolument vous retrouver pendant qu'il était encore temps...

— Encore temps pour quoi, au juste ? interrogea Violette.

Quigley soupira.

— Mystère. Il est resté plusieurs jours chez le professeur Montgomery, mais il était bien trop pris par ses recherches pour trouver le temps de tout m'expliquer. Il passait ses nuits à lire et à recopier des choses dans son calepin, et le jour il dormait, ou disparaissait pendant des heures. Un jour, il m'a dit qu'il partait interroger quelqu'un dans un bled du nom de La Falotte, mais il n'est jamais revenu. Je l'ai attendu pendant des semaines. Pour passer le temps, je lisais les bouquins de la bibliothèque du professeur, et c'est là que j'ai commencé à tenir un calepin, moi aussi. Au début, j'avais du mal à trouver de l'information sur S.N.P.V., mais chaque fois je prenais des notes. J'ai bien dû lire une centaine de livres, et Jacques ne revenait toujours pas. Pour finir, un matin, deux choses m'ont décidé à passer à l'action. La première a été un article du *Petit pointilleux* – qui continuait d'être livré tous les matins sur le pas de la porte –, un article affirmant que mon frère et ma sœur avaient été victimes d'un enlèvement, à leur collège. Là, je me suis dit : « Il est temps d'agir. »

Klaus et Violette approuvèrent gravement.

— Et la deuxième ? demanda Violette.

Quigley ne répondit pas tout de suite. D'une main machinale, il recueillit un peu de cendre au sol et la laissa couler entre ses doigts gantés.

— La deuxième est que, soudain, j'ai senti comme une odeur de fumée. J'ai ouvert la porte du laboratoire et là, j'ai compris tout de suite. Quelqu'un venait de lancer une torche enflammée à travers le vitrage. La bibliothèque était en flammes. Quelques minutes plus tard, toute la villa flambait.

— Ah, dit Violette à mi-voix.

« Ah », prononcé d'un ton plat, signifie la plupart du temps quelque chose comme : « Info bien reçue mais je ne me sens pas particulièrement concerné. » Mais le « Ah » de Violette Baudelaire avait ici un tout autre sens et même plusieurs sens à la fois, assez difficiles à définir. En premier lieu, il signifiait : « La maison de l'oncle Monty, brûlée aussi ? Ça me fait mal au cœur de l'apprendre. » Mais il traduisait en même temps l'infinie tristesse de Violette à la pensée d'autres incendies, de tous ces incendies qui les avaient menés là, le jeune Beauxdraps, Klaus et elle-même, au cœur des monts Mainmorte et au cœur du mystère qui obscurcissait leurs vies. En murmurant « Ah », Violette ne songeait pas seulement au brasier qui avait ravagé le laboratoire aux reptiles, mais à tous les autres, ceux qui avaient rasé la demeure Baudelaire, la maison Beauxdraps, la clinique Heimlich, Caligari Folies et le Q. G. de S.N.P.V. – où l'odeur de brûlé flottait encore, à peine refroidie, sur les décombres au milieu desquels les trois enfants étaient assis. À la pensée de tant de sinistres, il semblait à Violette que le monde entier risquait à tout moment de s'embraser, et qu'il n'y aurait plus nulle part de lieu sûr pour les gens honnêtes.

— Encore un incendie, murmura Klaus – et elle comprit qu'il partageait ses pensées. Et alors, Quigley ? Où as-tu décidé d'aller ?

— Je ne savais plus trop, je ne voyais vraiment que La Falotte, pour tâcher d'y retrouver Jacques et voir s'il voulait bien m'aider à rechercher mon frère et ma sœur. Dans l'atlas du professeur Montgomery, je n'ai pas eu de mal à repérer où c'était, mais il a fallu que j'y aille à pied, j'avais trop peur de tomber sur un ennemi si je faisais de l'auto-stop. Jacques m'avait bien dit de ne pas me montrer. J'ai mis un temps fou pour y arriver, mais sitôt là-bas j'ai repéré une bâtisse qui rappelait énormément le tatouage que Jacques portait à la cheville. Je me suis dit que c'était peut-être un lieu sûr...

— Le cabinet du Dr Orwell ! s'écria Klaus. Pas vraiment un lieu sûr non plus !

— Klaus y a été hypnotisé deux fois, résuma Violette. Et le comte Olaf s'y était déguisé en...

— Réceptionniste, compléta Quigley. Je sais. La plaque à son faux nom était toujours à l'accueil. Le cabinet était désert, mais Jacques était passé par là, il y avait encore des notes écrites de sa main qui traînaient sur le bureau. En recoupant ces notes avec les renseignements glanés chez le professeur Montgomery, j'ai pu déduire où devait se trouver le quartier général de S.N.P.V. Mais cette fois, au lieu d'attendre Jacques, je me suis mis en route pour ce Q. G. Je me disais que c'était la meilleure piste à suivre pour retrouver mon frère et ma sœur.

— Tu t'es mis en route pour les monts Mainmorte ? demanda Violette. Comme ça, tout seul, les mains vides ?

— Je n'avais pas les mains vides. En plus de mon calepin, j'avais ce sac à dos que Jacques avait laissé, dans lequel se trouvaient des Signaux neutres à portée de vue et deux ou trois autres trucs. D'ailleurs, je n'ai pas été seul longtemps, parce que je suis tombé sur les scouts des neiges et que ça m'a paru une bonne idée de me glisser parmi eux puisqu'ils allaient sur le mont Augur – le mont Augur qui est là, devant nous. (Il tourna une page de son calepin et examina ses notes.) Dans *Phénomènes remarquables des monts Mainmorte*, que j'ai lu chez le professeur Montgomery, il y avait tout un chapitre caché sur la Sortie nord du puits de ventilation et sur la porte à Système novateur de protection par verrouillage.

— Bon sang ! pesta Klaus. Ce bouquin, j'aurais dû le lire ! Du temps où on était chez l'oncle Monty, si on avait su, pour S.N.P.V., on aurait fait un peu de recherche et on se serait sans doute évité des ennuis.

— Du temps où on était chez l'oncle Monty, lui rappela Violette, l'urgence, c'était d'échapper à Olaf-Stephano. On avait mieux à faire que de se lancer dans des tas de recherches.

Quigley hocha la tête.

— Moi, au contraire, j'ai eu le temps d'en faire, des recherches. N'empêche, je suis loin d'avoir trouvé toutes les réponses. Et je ne sais toujours pas où sont Duncan et Isadora, ni où est passé Jacques Snicket.

— Jacques Snicket est mort, dit Klaus très bas. Assassiné par le comte Olaf.

— Oh, souffla Quigley. C'est bien ce que je redoutais. J'avais pensé que c'était mauvais signe quand je ne l'ai pas vu revenir. Et mon frère, et ma sœur ? Savez-vous quelque chose ?

— Ils sont en sécurité, Quigley, dit Violette. En tout cas, il nous semble. Nous les avons aidés à fausser compagnie au comte Olaf, et ils ont fui avec Hector, qui est quelqu'un de très gentil...

— Fui ? coupa Quigley. Mais où ?

— Ça, reconnut Klaus, c'est difficile à dire. Hector avait construit un genre de maison volante, avec des nacelles, des ballons gonflés à l'air chaud, des monceaux de provisions, et d'après lui cet engin devrait pouvoir se balader dans les airs indéfiniment.

— Nous devions monter à bord, nous aussi, mais le comte Olaf nous en a empêchés.

— Donc, vous ne savez pas où ils sont.

La voix de Quigley tremblait un peu.

— Je crains bien que non, dit Violette, et elle lui tapota la main. Mais tu les connais, ils ne sont pas du genre à se laisser abattre. Ils en ont vu de dures aux mains du comte Olaf, et ça ne les a pas empêchés de prendre des tas de notes sur ses agissements, ni même d'entrer en contact avec nous.

— C'est vrai, renchérit Klaus. Où qu'ils soient, j'en suis sûr, ils continuent d'enquêter. Tôt ou tard, ils vont découvrir que tu es en vie, et ils se débrouilleront pour te retrouver, exactement comme ils nous ont retrouvés, nous.

Les deux jeunes Baudelaire se turent. Parler d'Isadora et Duncan leur faisait le même effet que de parler de Prunille ou de leurs parents. Ils en avaient la gorge nouée, comme si Baudelaire et Beauxdraps n'étaient qu'une seule et même famille.

— Si vos parents sont en vie, ils essaient de vous retrouver aussi, j'en suis certain, murmura Quigley, lisant dans leurs pensées. Et idem pour Prunille, bien sûr. Où est-elle, au fait, vous le savez ?

— Quelque part dans les environs, en principe, répondit Violette. Elle est avec le comte Olaf, et lui aussi était en route pour ce Q. G.

— Hum ! fit Quigley avec un regard circulaire. Peut-être même qu'il est déjà passé par là, le comte Olaf. Vu l'état dans lequel est l'endroit...

— Je ne pense pas que ce soit signé de lui, dit Klaus. Il n'aurait pas eu le temps. Pas depuis que nous l'avons perdu de vue. En plus, sauf bien sûr si cet incendie était accidentel – mais ça, franchement, ça m'étonnerait –, j'ai dans l'idée que l'endroit n'a pas brûlé en une seule fois.

— Qu'est-ce qui te fait dire ça ? demanda Quigley.

— C'est beaucoup trop grand. Trop pour faire flamber tout ça en même temps... Imagine le nuage de fumée.

— Oui, dit Violette. Et la fumée, ça se repère de loin.

— Pas de fumée sans feu, dit Quigley. Je vois...

Violette et Klaus se tournèrent vers lui, intrigués. Le ton dont il avait prononcé « Je vois » n'était pas celui d'un « Je vois » ordinaire, du type : « D'accord, j'ai compris. » C'était un authentique « Je vois » et Quigley, en effet, avait le regard ailleurs, droit vers le torrent gelé – vers cette vue grandiose sur laquelle donnait jadis l'immense baie vitrée de la cuisine et devant laquelle je me revois débitant du brocoli tandis que la femme que j'aimais écrasait des cacahuètes grillées à ajouter à la sauce. Du geste, il indiquait le ciel au-dessus du mont Augur, là où mes confrères et moi aimions à regarder planer les aigles chargés de repérer la fumée à des kilomètres de distance.

Cet après-midi-là, au-dessus des monts Main-morte, il n'y avait pas l'ombre d'un aigle, mais Violette et Klaus, levant le nez à leur tour, virent immédiatement ce qui captait l'attention de Quigley.

Car, lorsque le jeune Beauxdraps avait dit : « Pas de fumée sans feu, je vois... », il ne faisait pas allusion à la théorie de Klaus sur l'art de faire griller un Q. G. à petit feu. Il était trop intrigué par le mince filet de fumée verte qui s'élevait, à l'instant même, de la crête du mont Augur, tout en haut de la pente glissante.

CHAPITRE
IX

Les trois enfants s'étaient levés et tous trois regardaient en silence se déployer lentement le curieux panache, mot signifiant ici : «mystérieuse volute de fumée verte». Une énigme de plus? Violette et Klaus avaient peine à y croire.

— Ça, murmura enfin Quigley, c'est un Signal neutre à portée de vue. Il y a quelqu'un, là-haut, qui essaie d'envoyer un message.

— Oui, dit Violette, mais qui ? Et à qui ?

— Peut-être un rescapé de l'incendie, suggéra Klaus. Il doit être en train d'essayer de voir s'il n'y a pas d'autres volontaires aux alentours.

Quigley fit la moue.

— Ça pourrait être un piège. Un truc pour attirer les volontaires là-haut et leur tendre une embuscade. Rappelez-vous, depuis le schisme, les mêmes codes sont en usage chez les deux partis opposés.

— De toute façon, fit observer Violette, il nous manque le code... Ce qui est sûr, c'est que quelqu'un est en train de communiquer. Mais ce qu'il cherche à dire, mystère et boule de gomme!

— Oui, dit Klaus, songeur. Ça doit faire un peu cet effet aux gens qui écoutent Prunille et ne la comprennent pas.

Les deux aînés Baudelaire eurent un pincement au cœur.

— Que ce soit un piège ou un vrai volontaire, reprit Violette, c'est peut-être notre unique chance de retrouver notre petite sœur.

— Puis mon frère et ma sœur, ajouta Quigley.

— J'ai une idée, dit Klaus. Répondons à cet appel. Il t'en reste, Quigley, de ces Signaux neutres à portée de vue?

— Bien sûr, répondit Quigley, tirant de son sac le paquet plat. En revanche, plus d'allumettes. Bruce a vu les miennes et me les a confisquées, sous prétexte que les enfants ne doivent pas jouer avec le feu.

— Confisquées ? dit Klaus. C'est un ennemi de S.N.P.V., tu crois ?

Violette eut un petit rire.

— Si tous ceux qui sont d'avis que les enfants ne doivent pas jouer avec le feu étaient des ennemis de S.N.P.V., nous n'aurions aucune chance de survie.

— Mais comment allumer ces trucs-là sans allumettes ? se demandait Quigley.

Violette tira son ruban de sa poche. Les neuf percées à tout vent faisaient voleter ses cheveux en tous sens, mais elle eut finalement le front bien dégagé et, les yeux sur l'énigmatique fumée verte, elle mit en mouvement les rouages de son génie inventif.

Bien entendu, le signal n'était ni un piège, ni le message d'un mystérieux volontaire. Il provenait d'une toute petite fille, dotée de dents superbes et d'un vocabulaire qui en laissait perplexe plus d'un. Lorsque Prunille Baudelaire avait dit « lox », par exemple, les comparses d'Olaf n'y avaient vu qu'un babil de plus, alors qu'elle était en train d'annoncer comment elle comptait cuisiner ces saumons frais crochetés.

« Lox » est un mot connu des gourmets, et qui désigne du saumon délicatement imprégné d'un arôme de fumée. C'est une façon exquise de consommer du saumon frais, surtout accompagné de menues douceurs en garniture, et ici « garniture » signifie : « petits pains dorés tout chauds, fromage double crème, concombre en rondelles, câpres, poivre noir et autres amuse-gueule propres à exalter la saveur du lox et à faire de lui un mets raffiné ».

Mais le lox présente un autre avantage : sa préparation dégage de la fumée, et c'est pourquoi Prunille avait opté pour le lox plutôt que pour le gravlax, par exemple, lequel est un saumon laissé à mariner plusieurs jours dans une marinade épicée, ou encore le sashimi, qui est un saumon servi cru, découpé en formes plaisantes à l'œil. Lorsque le comte Olaf avait dit que, du sommet du mont Augur, on pouvait voir à des kilomètres à la ronde, la remarque n'était pas tombée dans l'oreille d'une sourde. Et Prunille avait supposé que l'inverse était vrai : depuis des kilomètres à la ronde, on pouvait voir le mont Augur...

Forte de cette inspiration, la petite n'avait pas perdu une seconde. Tandis que Violette et Klaus écoutaient le jeune Beauxdraps leur narrer ses tribulations au bas du torrent gelé, Prunille s'était mise en devoir de faire coup double : cuisiner le saumon tout en envoyant un S.O.S. à ses aînés, qu'elle espérait bien voir se trouver dans les parages.

Pour commencer, du bout du pied, elle poussa le Signal neutre à portée de vue – qu'elle prenait pour une cigarette, comme les complices d'Olaf – au milieu d'une touffe d'herbes sèches, afin d'en obtenir un maximum de fumée. Puis elle plaça les saumons à l'intérieur de la cocotte en fonte. Peu après, le poisson se gorgeait de chaleur et de fumée, tandis qu'un assez joli panache vert s'élevait au-dessus du mont Augur. À sa vue, Prunille ne put réprimer un sourire. La dernière fois qu'elle avait été séparée de ses aînés, elle s'était contentée d'attendre sagement dans une cage que ceux-ci viennent la délivrer. Mais, depuis, elle avait grandi. Elle se sentait parfaitement de taille à damer le pion au comte Olaf, sous prétexte de préparer un repas.

— Mmm, que ça sent bon, dit l'une des dames poudrées, passant près de la cocotte. Je te trouvais bien petite pour cuisiner, j'avoue, mais je sens que ta recette de saumon va me faire changer d'avis. L'odeur me met l'eau à la bouche.

— Il y a un mot pour la façon dont elle cuisine ce saumon, dit l'homme aux crochets. J'ai oublié lequel, mais il y a un mot, j'en suis sûr.

— Lox, dit Prunille.

Mais personne ne l'entendit, car le comte Olaf sortit de sa tente en gesticulant, suivi d'Esmé et des deux sinistres visiteurs. Le dossier Snicket contre son cœur, Olaf se rua vers Prunille, ses petits yeux jetant des éclairs.

— Étouffe-moi cette fumée immédiatement, petite vermine ! Et moi qui te prenais pour une larve terrifiée ! Tu ne serais pas plutôt une espionne ?

— Quelle idée, Olaf ! protesta l'une des dames poudrées. Elle utilise seulement la fumée de cigarette d'Esmé pour nous préparer du poisson.

— Mais cette fumée, idiote, quelqu'un pourrait la voir ! rugit Esmé comme si elle-même n'avait pas fumé une minute plutôt. La voir et se dire qu'il n'y a pas de fumée sans feu !

Ramassant une grosse poignée de neige, le sinistre visiteur la jeta sur les herbes sèches, et le Signal neutre à portée de vue s'éteignit en chuintant.

— À qui envoies-tu des signaux, hein, espèce de voyou ? grinça-t-il de sa voix rouillée. Si tu es une espionne, moi, c'est simple : je te précipite du haut de cette montagne.

— Areuh ! fit Prunille ; autrement dit : « Voyez ! je ne suis qu'un bébé innocent. »

— Voyez ? dit la dame poudrée d'une petite voix étranglée. Ce n'est qu'un bébé innocent.

— Je suis plutôt de cet avis, dit la sinistre visiteuse. De toute façon, c'est du gaspillage de précipiter un lardon du haut d'une montagne – sauf en cas de force majeure, bien sûr.

— Oui, les lardons ont leur utilité, reconnut le comte Olaf. D'ailleurs, j'envisage sérieusement d'en recruter davantage. Le gros avantage, c'est qu'il y a moins de rouspétance quand on donne des ordres.

— Nous, patron, rouspéter? protesta l'homme aux crochets. Pas moi, en tout cas! Je ne me plains jamais. J'essaie d'être le plus accommodant possible.

— Assez jaspiné, coupa le visiteur. Olaf, je te rappelle, il faut activer nos méninges. Je viens de recevoir des renseignements, justement, qui pourraient bien tomber à pic pour ton plan de recrutement. Et n'oublions pas que, d'après le dossier Snicket, les volontaires ont encore un lieu sûr où se réunir. Tout ça nous fait du pain sur la planche.

— Le tout dernier des lieux sûrs, lui fit écho la visiteuse de sa voix caverneuse. Grand temps de le dénicher et de le faire flamber, lui aussi.

— Et une fois que ce sera fait, glapit le comte Olaf, bien malin qui pourra dénicher le plus petit commencement de preuve de nos combines! Plus une pièce à conviction contre nous, plus une seule au monde! Nous pourrons dormir sur nos deux oreilles.

— Il est où, le dernier des lieux sûrs? voulut savoir Otto.

Le comte Olaf ouvrit la bouche pour répondre, mais la visiteuse, les yeux sur Prunille, le fit taire d'un geste impérieux.

— Pas devant la petite chose à grandes dents! On ne sait jamais, si elle comprenait? Elle en perdrait le sommeil, la pauvre. Et un mioche qui ne dort pas assez, pour le service, c'est pire que tout. Envoie-la donc un peu à l'écart, Olaf, qu'on puisse discuter tranquilles.

— J'allais le faire, dit le comte très vite avec un petit sourire forcé. Bon, la moucheronne, tu files à la voiture et tu la débarrasses des miettes de chips à l'intérieur en soufflant dessus. Qu'il n'en reste pas une!

— Futil, commenta Prunille; autrement dit: « Autant vider la mer à la petite cuillère. »

Mais elle partit en direction de la voiture noire, tandis que les malfrats, ricanant, faisaient un cercle autour du rocher plat pour un grand conciliabule.

En passant devant le feu éteint et la cocotte en fonte qui lui servait de lit clos – présentement pleine de poisson qu'elle espérait cuit à point –, Prunille étouffa un soupir à la pensée de son signal raté. Une excellente idée, pourtant. Mais il avait fallu qu...

Son coup de cafard prit fin d'un coup. Arrivée devant la voiture, elle jeta un coup d'œil machinal du côté du torrent gelé, et là, en contrebas, quelque chose qui montait, montait, lui remonta le moral: un panache de fumée verte en provenance du bas de la pente.

La petite s'arrêta et sourit. « Fratri », dit-elle à mi-voix.

Rien ne garantissait, bien sûr, que c'étaient Violette et Klaus qui répondaient à son signal.

Prunille ne pouvait que l'espérer, mais elle l'espérait si fort qu'elle en était toute revigorée. D'une main décidée, elle ouvrit la portière et se mit en devoir de souffler sur les miettes laissées là par Olaf et sa bande de malpropres.

Au bas de la cascade gelée, l'espoir était plus vacillant. Avoir vu le panache de fumée disparaître aussi brutalement n'avait rien de rassurant.

— Quelqu'un a étouffé le signal, là-haut, dit Quigley qui tenait le cylindre vert à bout de bras afin de ne pas respirer la fumée. À votre avis, ça veut dire quoi ?

— Aucune idée, murmura Violette, et elle soupira. Voilà, c'est raté.

— Raté ? la contredit Klaus. Pas du tout. Ton idée a joliment bien marché, au contraire. Allumer le signal neutre en utilisant le petit miroir à main pour concentrer les rayons du soleil, c'était génial et ça a marché. Exactement comme ça avait marché – tu te souviens ? – sur le lac Chaudelarmes, le jour des sangsues...

— Klaus a raison, renchérit Quigley. Utiliser le principe de réfraction de la lumière, il fallait y penser. Bravo !

— Merci, dit Violette. Mais c'est l'échange de messages qui ne marche pas. Il nous manque le code. Nous ne savons toujours pas qui est là-haut, ni ce que cette personne ou ces personnes cherchaient à nous dire. Et maintenant voilà, le signal s'est éteint, et nous ne savons rien de plus.

— Peut-être que nous ferions mieux d'éteindre le nôtre aussi, suggéra Klaus.

— Peut-être, dit Violette. Et peut-être que nous ferions mieux de monter là-haut pour en savoir plus.

Quigley sortit son calepin.

— Monter là-haut ? Sacrée expédition. Il n'y a pas trente-six chemins, il n'y en a qu'un : celui que prennent les scouts des neiges. Autrement dit, il faut repasser par la porte à Système novateur de protection par verrouillage, redescendre par le puits de ventilation, retraverser la caverne des Soldats des neiges pacifiques et valeureux, rattraper les scouts et marcher pendant des heures et des heures.

Violette sourit.

— Non, ce n'est pas le seul chemin.

— Si. Regarde la carte.

— Regarde la cascade.

Les trois enfants parcoururent des yeux la pente brillante.

— Tu veux dire, hasarda Klaus, que tu te sens prête à inventer un truc qui nous permette d'escalader ce toboggan de glace ?

Mais déjà Violette nouait ses cheveux et parcourait du regard les ruines de l'ancien Q. G.

— Il va me falloir cet ukulélé que tu as sauvé de la roulotte, Klaus, et aussi... et aussi ce chandelier à moitié fondu, là-bas, sur les décombres de la grande table.

Klaus tira l'ukulélé du fond de sa poche de manteau et le tendit à sa sœur, puis il alla chercher le chandelier biscornu.

— Voilà, dit-il. Et maintenant, si tu n'as pas besoin de moi pour le moment, je vais aller jeter un coup d'œil du côté de la bibliothèque, voir s'il n'y aurait pas des documents à récupérer. Tandis qu'on est ici, autant essayer d'en apprendre le plus possible.

— Bonne idée, dit Quigley et, farfouillant dans son sac à dos, il en sortit un gros carnet identique au sien, mais à reliure bleu marine. Tiens, j'ai ce calepin en réserve. Il est à toi. Tu auras peut-être envie de prendre des notes, toi aussi.

— Oh! merci, c'est gentil. J'y noterai tout ce que je trouverai d'intéressant. Tu viens avec moi?

Quigley jeta un regard du côté de Violette.

— Euh, pas pour le moment, si tu veux bien. J'ai pas mal entendu parler des inventions de Violette, je suis un peu curieux de la voir à l'œuvre.

Sans plus insister, Klaus s'éloigna vers l'arche de fer forgé marquant l'entrée de ce qui avait été la bibliothèque, tandis que Violette, rougissante, se penchait pour ramasser l'une des fourchettes un peu déformées qui traînaient là, parmi les cendres.

Il est bien regrettable que Violette n'ait jamais eu l'occasion de rencontrer l'un de mes plus étonnants confrères, un certain C. M. Kornbluth qui enseigna naguère la mécanique au Q. G. de S.N.P.V., au milieu du Sous-bois aux neuf percées à tout vent. M. Kornbluth était un homme discret et peu bavard, si peu bavard que nul ne sut jamais qui il était, d'où il venait, ni à quoi correspondaient le C et le M de son nom, et qui passait le plus clair de son temps dans sa chambre à écrire d'étranges récits, ou dans la cuisine à contempler le paysage d'un air de profonde mélancolie. Une chose le mettait en joie, cependant, et c'était la vue d'un élève réellement doué en mécanique. Lorsqu'un jeune homme faisait par exemple preuve d'intérêt pour les radars en eau profonde, M. Kornbluth retirait ses lunettes et s'illuminait. Lorsqu'une jeune femme se proposait de lui montrer l'agrafeuse perfectionnée qu'elle venait de confectionner, M. Kornbluth joignait les mains, en extase. Et lorsqu'une paire de jumeaux venaient lui demander des conseils sur un câblage de fils de cuivre, il tirait de sa poche un sachet de pistaches et en offrait à la ronde pour célébrer l'événement. Aussi, lorsque je songe à Violette Baudelaire debout au milieu des décombres du Q. G., occupée à retirer avec soin les cordes de l'ukulélé, puis à recourber avec le même soin des manches de fourchette, j'imagine volontiers M. Kornbluth – bien que ses pistaches et lui aient quitté ce bas monde depuis belle lurette – se détournant de sa baie vitrée pour sourire à la jeune inventrice et lancer par-dessus son épaule : «Beatrice, viens donc voir ! Viens voir ce que fait cette enfant ! »

— Qu'est-ce que tu fais ? demanda Quigley.

— Quelque chose qui va nous permettre d'escalader cette cascade gelée, répondit Violette. Si seulement Prunille était ici ! Avec ses dents laser, elle aurait vite fait de nous couper en deux ces cordes d'ukulélé.

— J'ai peut-être l'outil qu'il te faut, dit Quigley, sondant son sac à dos une fois de plus. Ah ! voilà. Dans le cabinet du Dr Orwell, j'ai récupéré ces faux ongles en me disant qu'ils pouvaient toujours servir. Ils sont d'un rose abominable, mais joliment tranchants, regarde.

Violette prit l'un des faux ongles entre deux doigts, prudemment, et l'examina.

— Tu sais qui portait ces trucs-là ? demandat-elle. Le comte Olaf, si je me souviens bien. Ça faisait partie de son déguisement... Dire que, pendant des mois, tu as marché sur nos pas, et que nous ne savions même pas que tu étais vivant !

— Moi, j'en savais pas mal sur vous, en fait. Jacques Snicket m'avait parlé de toi, de Klaus, de

Prunille, et même de vos parents. Il les avait bien connus avant votre naissance.

— C'est ce que je pensais, dit Violette, coupant les cordes de l'ukulélé. Sur cette photo que nous avons trouvée, nos parents sont avec Jacques Snicket, et avec un autre homme que nous ne connaissons pas.

— Le frère de Jacques, sans doute. Jacques m'a dit qu'ils étaient trois de sa famille à travailler sur un dossier capital.

— Le dossier Snicket, dit Violette. Nous espérions le trouver ici.

Quigley leva les yeux vers le torrent gelé.

— Peut-être que la personne qui est là-haut saura nous en dire plus long.

— Nous n'allons pas tarder à être fixés, dit Violette. Tu veux bien enlever tes chaussures ?

— Enlever mes chaussures ?

— Oui. La glace va être très glissante. Alors, avec ces cordes d'ukulélé, je vais attacher ces fourchettes tordues à la pointe de nos semelles – comme ça, tu vois ? Ça va nous faire des chaussures à crampons – à crampons-fourchettes. Et nous tiendrons en main deux autres fourchettes chacun. Les dents de ces fourchettes, je ne sais pas si tu as remarqué, sont joliment pointues. Elles devraient se planter dans la glace sans problème, et nous permettre de garder notre équilibre.

— Et le chandelier, il va servir à quoi ? s'informa Quigley, délaçant ses chaussures.

— À tester la glace. L'eau vive, surtout celle d'une cascade, est rarement prise en glace d'un seul bloc. Seule la surface est gelée, et il y a sûrement des endroits où la couche n'a rien de bien épais, d'autant que ce fameux Printemps des fous approche. Si nos fourchettes passent à travers la glace et trouvent l'eau, nous risquons de gros ennuis. Donc, avant chaque pas, je vais tester la glace devant nous au moyen de ce chandelier, afin de repérer les endroits solides.

— Pas l'impression qu'elle s'annonce facile, la grimpette, commenta Quigley.

— Ni plus ni moins que l'escalade du puits de ventilation, cette nuit. Tu vas voir. Là. Je serre bien les nœuds – et j'ai fait des nœuds Sumac, ça devrait tenir bon. Voilà, plus qu'à demander ses chaussures à Kl...

— Désolé de vous interrompre, coupa Klaus, mais je viens de trouver un truc qui pourrait être important.

Violette fit volte-face. Son frère était de retour, le calepin bleu marine dans une main et un petit bout de papier à moitié calciné dans l'autre.

— J'ai découvert ça dans les cendres, dit-il. On dirait une page de code secret.

— Qu'est-ce que ça dit ?

— Écoutez. « Dans l'évent flagration provoquant la destruction d'un fuge, lut Klaus à voix haute, ntaires doivent courir à la mess e secrète, décodable grâce aux Subsistances non périss... à véri...er. »

— Sacré charabia, commenta Quigley. Tu es sûr que c'est codé ?

— À peu près. Il y a des mots à moitié dévorés par le feu, donc il faut reconstituer la phrase pour savoir si elle est codée ou pas. « Dans l'évent... », bon, ça ne peut pas être éventail, ni sans doute éventreur. Ce serait plutôt éventualité, ce qui nous donne : « dans l'éventualité de... etc. ». Continuons... « flagration », ça peut être déflagration, qui veut dire explosion, ou conflagration, qui veut dire embrasement, incendie, je crois. Les deux provoquent la destruction, de toute manière. Et le « ...fuge » détruit pourrait bien être un refuge, d'accord ? Donc, ça voudrait dire quelque chose comme : « Si jamais une catastrophe détruisait un refuge... » Mais pour la suite, je n'ai absolument aucune idée.

Violette regarda par-dessus son épaule.

— Attends. « ...ntaires », ça pourrait être volontaires, non ? Euh, « les volontaires doivent courir à la messe » ?

— Hé ! lui dit Klaus, tu oublies les trous. Les volontaires ne doivent pas courir, ils doivent mm... courir.

— Encourir ? suggéra Quigley. Discourir ?

— Recourir ! triompha Klaus.

— Re-courir ? fit Violette, perplexe.

— Pas recourir comme on refait une course !
Tu sais bien : « recourir à ». Se servir de. Utiliser. Et
ce n'est pas à la messe non plus ! C'est à la mess...
mm-mm secrète.

— Mess...agerie ? suggéra Violette.

— Mais oui, génial : « messagerie secrète » ! Ben
voilà, on y est presque. En gros, si un refuge est
détruit, les volontaires doivent laisser un message
secret, décodable grâce aux Subsistances non
périss... à véri...er.

Quigley plissa le front.

— C'est quoi, à votre avis, les Subsistances non
périss... à véri...er ?

— « Véri...er », dit Klaus, facile : c'est forcément
vérifier. Mais les Subsistances non périss... ?

— Non périssables ? proposa Quigley. Je ne vois
vraiment que ça.

— Possible, dit Klaus, pensif. Les Subsistances
non périssables à vérifier, S.N.P.V.

— Mais c'est complètement illogique, ce truc-là,
fit valoir Violette. En cas d'incendie – ou d'explosion, ça revient au même –, tout est détruit. Je ne
vois pas très bien quelles subsistances je-ne-sais-
quoi on pourrait vérifier. Regardez autour de nous.
Il ne reste absolument rien, à part cette arche en
fer forgé et...

— ... et ce frigo, compléta Klaus. Ce malheureux frigo à peine gondolé.

— Bien sûr ! s'écria Klaus, s'élançant vers le réfrigérateur noirci. Pas fous, les volontaires. Ils savaient qu'un bon frigo, dans un incendie, fait souvent coffre antifeu. En tout cas, l'intérieur d'un frigo est bien le dernier endroit à résister aux flammes...

— Et le dernier où des ennemis auraient l'idée de fourrer le nez, enchaîna Quigley. Un frigo, ça ne contient jamais rien d'une importance vitale.

Je dois dire qu'ici Quigley était trop catégorique. Tout comme une dent creuse, une noix de coco vide ou un cercueil, un réfrigérateur peut contenir toutes sortes de choses, dont certaines peuvent se révéler d'une importance vitale – tout dépend de ce que vous réserve la journée. Par exemple, dans un frigo, vous pouvez avoir un sachet de glace, joliment utile si vous vous foulez la cheville. Ou vous pouvez avoir une bouteille d'eau, infiniment précieuse en cas de soif. Ou encore une barquette de fraises, denrée littéralement vitale si vous vous retrouvez face à un fou armé d'un pieu et qui vocifère : « Des fraises tout de suite ou je vous embroche ! »

Mais lorsque les trois enfants ouvrirent le réfrigérateur rescapé, ils n'y découvrirent rien qui pût être d'un grand secours en cas de cheville foulée, de déshydration intense ou d'attaque par un forcené affamé de fraises – ni même rien qui parût d'une importance vitale. Dans ce frigo plus qu'aux trois quarts vide, il ne traînait guère que ce qui traîne, au rayon des oubliettes, dans tout frigo qui se respecte, à savoir un pot de moutarde, une jarre d'olives, trois pots de confitures de trois sortes, un flacon de jus de citron et un cornichon solitaire, tout nu dans son bocal de verre.

— Rien, soupira Violette.

— Et dans le bac à légumes ? s'enquit Quigley, indiquant le tiroir du bas.

Klaus ouvrit le tiroir et en sortit quelques brins de verdure, un fin feuillage pas même fané.

— Fais sentir, dit Violette, avançant le nez. Mmm... de la verveine, de la verveine toute fraîche. Regardez ! On la dirait cueillie d'hier.

— Nous n'avons que des énigmes et des interrogations, soupira Violette au bord des larmes.

— Nous ne savons pas où est Prunille. Nous ne savons pas où est le comte Olaf. Nous ne savons pas qui envoie des signaux depuis là-haut, nous ne savons pas ce que veulent dire ces signaux. Et maintenant nous voilà face à un mystérieux message mystérieusement codé dans un mystérieux frigo. Moi, j'en ai par-dessus la tête des énigmes et des questions sans réponse. Je voudrais de l'aide, par pitié !

— De l'aide, lui dit Klaus d'une voix douce, il faut nous la fournir nous-mêmes. Nous avons tes inventions, nous avons les cartes dessinées par Quigley, nous avons...

— Nous avons tout ce que toi, Klaus, tu as lu et retenu, compléta Quigley. Et moi aussi, j'ai pas mal lu, même si c'est moins que toi. Et Violette aussi. Tout ça nous rend assez bien armés pour résoudre les énigmes. C'est juste une question de ténacité.

Violette ravala ses larmes et, d'un coup de pied, envoya valser un petit débris qui traînait dans la cendre. C'était une coque de pistache, incomplètement calcinée.

— Et nous, reprit-elle d'une voix cassée, c'est comme si nous devenions aussi des membres d'une société secrète. Nous envoyons des signaux, nous décodons des messages, nous déterrons des secrets dans les décombres d'un incendie...

— Je sais, dit Klaus. D'ailleurs, je me demande... Tu crois que nos parents seraient fiers de nous voir suivre leur exemple ?

— Pas sûr. Ils avaient tenu tout ça secret, n'oublie pas.

— Peut-être qu'ils avaient l'intention de nous mettre au courant plus tard.

— Ou peut-être qu'ils espéraient que nous n'en saurions jamais rien.

— Ça, dit Quigley, c'est une question que je n'arrête pas de me poser. Si je pouvais remonter jusqu'à cet instant où ma mère m'a montré le souterrain sous le plancher de la bibliothèque, je me dépêcherais de lui demander pourquoi tout ça était secret.

— Oui, conclut Violette d'une petite voix triste. Et ça nous fait un mystère de plus.

Elle leva les yeux vers la pente glissante. Le soleil avait tourné. Pour grimper là-haut, le temps était compté.

Elle se décida.

— Bon. À chacun de s'efforcer de résoudre le mystère le plus dans ses cordes. Moi, je vais grimper là-haut et tâcher de résoudre le mystère du Signal neutre à portée de vue en découvrant qui a lancé l'appel et pourquoi. Toi, Klaus, tu devrais rester ici et enquêter sur le mystère du message concernant les Subsistances non périssables à vérifier.

— Et moi, je vais vous aider tous les deux, annonça Quigley, tirant de sa poche son carnet violet. Klaus, je te confie mon calepin. On ne sait jamais, il pourrait t'aider dans ton décodage. Et Violette, je grimpe avec toi. Pour ce genre d'expédition, il vaut beaucoup mieux être deux.

— Tu es sûr ? hésita Violette. Tu as déjà beaucoup fait pour nous, Quigley. Rien ne t'oblige à prendre des risques.

— Si tu préfères repartir tout de suite à la recherche d'Isadora et Duncan, ajouta Klaus, nous le comprendrons parfaitement.

Mais Quigley fit non de la tête.

— Ne dites donc pas de bêtises. De toute manière, ce mystère – car finalement c'en est un seul –, nous sommes dedans tous ensemble. Alors, si vous croyez que je vais vous laisser tomber...

Klaus et Violette échangèrent un regard, et une petite lumière brillait dans leurs yeux. C'est tellement rare, en ce monde, de rencontrer quelqu'un sur qui on peut compter, quelqu'un à qui accorder toute confiance, sans hésiter, sans arrière-pensée ! Tomber sur ce genre de personne a de quoi vous réchauffer le cœur, même au milieu d'un sous-bois qui se distingue par neuf percées à tout vent.

Quigley leur répondit d'un sourire bref et, l'espace d'un instant, leur amitié neuve donna aux trois enfants l'impression que très bientôt tous les mystères allaient s'éclaircir, que Prunille allait réapparaître, que le comte Olaf allait se faire arrêter, et que le décor calciné allait s'effacer comme s'effacent les cauchemars au matin. Oui, le simple fait d'avoir rencontré quelqu'un comme Quigley donnait à Klaus et Violette l'impression que tous les signaux étaient clairs et tous les messages déchiffrables au premier coup d'œil.

Violette fit un pas en avant, et ses cramponsfourchettes émirent un petit crissement décidé.

— Merci, dit-elle, prenant Quigley par la main. Merci de t'être porté volontaire.

CHAPITRE
X

À pas prudents, Violette et Quigley traversèrent le trou d'eau pris en glace. Au pied de la cascade gelée, ils se retournèrent.

— Bonne chance! leur lança Klaus depuis l'arche de fer forgé, à l'entrée de la bibliothèque dévastée.

Il essuyait ses lunettes, comme toujours avant de se lancer dans des recherches complexes.

— Bonne chance à toi aussi! lui répondit Violette, criant contre le vent.

Alors une pensée lui traversa l'esprit. La veille, tandis que Klaus et elle se démenaient pour stopper la roulotte en folie, son frère avait voulu lui dire quelque chose, une dernière chose, au cas où... Elle avait refusé de l'écouter, assurant que ce n'était pas le moment, qu'il serait bien temps plus tard – et à présent, juste avant de s'attaquer à l'escalade de la pente glissante et de laisser son frère seul sur les ruines du Q. G., c'était à son tour d'éprouver ce besoin, cette impulsion de dire quelque chose, une dernière chose au cas où...

— Klaus! lança-t-elle d'une voix étranglée.

Klaus remit ses lunettes sur son nez et dédia à son aînée son sourire le plus stoïque.

— Pas le moment! Tu me diras ça à ton retour, il sera bien temps!

Elle approuva d'une main levée, se retourna vers la pente et frappa la glace de son chandelier.

Plumb! fit le matériau. Un bruit de béton armé.

— On va prendre le départ ici, annonça Violette à Quigley. Et à nous l'Annapurna.

L'Annapurna, pour ce que j'en sais, ne se laisse pas gravir comme une vulgaire colline. Mais une cascade gelée non plus, surtout au flanc d'une pente battue de vents furieux, avec des four-chettes en guise de crampons et de piolets. Il fallut à Violette et Quigley un certain temps pour prendre le coup de main, expression signifiant ici « apprendre à planter leurs fourchettes à la profondeur appropriée – juste assez pour s'as-surer une prise solide mais pas trop, au risque de rester bloqués ». Chaque fois que l'un et l'autre étaient montés d'un cran, Violette, en s'étirant, testait le terrain au-dessus d'eux d'un bon coup de chandelier, à la recherche de glace solide par où poursuivre l'ascension.

Sur les cinq ou six premiers mètres, il sembla aux deux enfants que leur entreprise était condamnée à l'échec tant ils peinaient et progressaient peu. Puis ils prirent de l'assurance, de l'aisance à manier la fourchette. De son côté, le chandelier se révélait un parfait teste-glace. Le génie inventif de Violette avait encore fait merveille.

— Ton invention fonctionne rudement bien ! lança Quigley à Violette, perchée juste au-dessus de lui. Géniaux, ces crampons-fourchettes.

— Ça a l'air de marcher, oui, admit Violette, mais ne crions pas victoire trop tôt. Il nous reste du chemin à faire.

— Ça me rappelle un distique qu'a écrit ma sœur, dit Quigley ; et il récita ce court poème, signé Isadora Beauxdraps :

Faire la fête à mi-chemin
Risque de gâcher la fin.

Violette sourit et frappa la glace au-dessus d'elle avec la pointe de son chandelier.

— Isadora a un talent fou, dit-elle. Et ses poèmes nous ont été précieux plus de quatre fois. À la Société des noirs protégés de la volière, par exemple, elle nous avait fait savoir où ils se trouvaient, Duncan et elle, en nous envoyant un message codé sous forme d'une série de distiques, justement.

— Un message codé ? dit Quigley. Un code qu'elle tenait de S.N.P.V., tu crois ?

— Je n'en sais rien, dit Violette, songeuse. Duncan et elle sont les premiers à nous avoir parlé de S.N.P.V., mais... je n'ai jamais imaginé un instant qu'ils pouvaient en être membres. D'ailleurs, quand j'y pense, notre tante aussi nous avait adressé un message codé. Elle avait camouflé le nom d'un lieu dans un petit billet, et compté sur nous pour déchiffrer le message. Peut-être qu'elle aussi était membre de...

Elle se tut un instant, le temps d'arracher son crampon à la glace et de le replanter plus haut, d'un coup de pied bien calculé.

— Peut-être que tous nos tuteurs étaient membres de S.N.P.V., reprit-elle. D'un bord ou de l'autre du schisme.

— Tu veux dire que, depuis toujours, nous aurions été entourés de gens s'affairant à des missions secrètes sans jamais nous en douter ? Un peu difficile à croire, non ?

— Parce que tu trouves facile à croire qu'on soit en train d'escalader une espèce de pente gelée au milieu des monts Mainmorte ? (Violette mit sa main en visière sur ses yeux.) Tu sais quoi ? Regarde cette petite corniche, là, au bout de ma fourchette gauche. Je te propose de nous y asseoir un moment, le temps de souffler.

— Bonne idée, approuva Quigley. J'ai des carottes crues dans mon sac à dos. Ça nous requinquera d'en croquer une ou deux.

Il suivit Violette sur une saillie au format d'une causeuse et s'assit à côté d'elle. À leur grande joie, les deux alpinistes découvrirent qu'ils étaient plus haut qu'ils n'auraient osé l'espérer. À leurs pieds, le Q. G. calciné semblait un décor pour train électrique, et Klaus n'était qu'un grain de riz non loin d'une arche minuscule.

— Des carottes : le régal de Prunille, dit Violette

avant d'attaquer la sienne. J'espère qu'au moins elle mange bien, où qu'elle soit.

— J'espère aussi qu'Isadora et Duncan mangent bien, soupira Quigley. Mon père disait toujours, rien de tel qu'un bon repas pour vous donner de l'entrain.

— Mon père aussi disait toujours ça, se souvint Violette, et elle se tourna vers Quigley, prise de doutes. Tu crois que ça aussi, c'est codé?

Quigley eut un geste d'ignorance. Des bribes de glace tombaient de la pointe de leurs crampons, emportées par le vent.

— Au fond, murmura-t-il, c'est comme si nous n'avions jamais vraiment connu nos parents.

— Si, nous les connaissions, soutint Violette. Simplement, ils avaient leurs secrets, c'est normal. Tout le monde devrait avoir deux ou trois secrets.

— Admettons. Mais ils auraient quand même pu nous dire qu'ils appartenaient à une société secrète avec un Q. G. dans les monts Mainmorte.

— Peut-être ne voulaient-ils pas que nous le sachions parce que c'était un lieu dangereux? suggéra Violette, se penchant un peu pour contempler la vallée en contrebas. Remarque, tant qu'à avoir un Q. G. secret, l'endroit n'est pas mal choisi. Enlève les vilaines traces de feu et tu as une rudement jolie vue.

— Rudement jolie, ça oui, reconnut Quigley.

Mais il ne regardait pas vraiment la vue, il regardait à côté de lui, où Violette était assise.

Des quantités de biens précieux avaient été enlevés aux enfants Baudelaire. Leurs parents, pour commencer, et leur maison natale, dans un terrible incendie. Plusieurs de leurs tuteurs ensuite, tantôt supprimés par le comte Olaf, tantôt déchargés de leur fonction que de toute manière ils n'assumaient pas très bien. Leur dignité, aussi, leur avait enlevée bien des fois, qu'on se soit moqué d'eux ou qu'ils aient dû enfiler des déguisements grotesques. Enfin, Violette et Klaus s'étaient vu enlever leur petite sœur. Sans nouvelles depuis trop longtemps, ils ne pouvaient qu'espérer qu'elle allait bien.

Mais un autre bien essentiel leur avait été enlevé, un bien auquel on songe trop rarement : leur droit à l'intimité – autrement dit, le droit à la tranquillité, le droit de n'être pas toujours exposé au regard d'autrui, à ses paroles, à ses ordres. À moins d'être ermite de métier, auquel cas vous n'êtes pas concerné, parions que vous trouvez bon, de temps en temps, de vous éloigner un peu de vos proches pour savourer un rien d'intimité, peut-être en solitaire ou peut-être avec un ami, un complice, que ce soit dans votre chambre ou dans un wagon de chemin de fer où vous vous êtes faufilé. Or, depuis ce sinistre jour à la plage de

Malamer, ce jour où M. Poe était venu leur dire que leurs parents avaient péri, les enfants Baudelaire n'avaient pour ainsi dire jamais connu le moindre moment d'intimité. De la petite chambre crasseuse où le comte Olaf les avait logés à la roulotte surpeuplée de Caligari Folies, sans parler de bien d'autres lieux hostiles, les trois enfants étaient passés par tant de rudes épreuves qu'ils n'avaient guère eu le temps de savourer le petit luxe d'un moment d'intimité.

C'est pourquoi, tandis que Violette et Quigley s'accordent une courte pause sur une corniche de glace, à mi-hauteur de la cascade gelée, je vais profiter de l'occasion pour leur accorder un moment d'intimité en ne décrivant rien de ce qui se passa entre ces deux nouveaux amis, par cet après-midi frisquet. Assurément, il est certains aspects de ma vie sur lesquels je n'écris jamais une ligne, aussi précieux me soient-ils, et j'estime donc normal d'user de la même courtoisie envers l'aînée des Baudelaire. Qu'il me soit donc permis de dire simplement que les deux jeunes alpinistes, peu après, reprirent leur ascension le sourire aux lèvres – un petit sourire secret – et que le restant de l'après-midi les vit manier d'une main agile leur attirail de grimpeurs sur glace. Mais Violette Baudelaire avait eu, depuis des mois, si peu d'intimité dans sa vie que je tiens absolument à lui réserver quelques moments importants pour elle seule, et je remercie mes lecteurs de bien vouloir le comprendre.

— On y est presque, finit par annoncer Violette. C'est difficile de bien voir, la pente est trop raide, mais il me semble qu'on arrive au sommet.

— Je n'arrive pas à croire que nous avons grimpé tout l'après-midi, commenta Quigley.

— Pas absolument tout l'après-midi, lui rappela Violette avec un petit sourire pudique. À vue de nez, ce pan de montagne est à peu près aussi élevé que le 667, boulevard Noir. Il nous avait fallu des siècles pour escalader la cage d'ascenseur, je me souviens, le jour où nous avions voulu délivrer Isadora et Duncan. J'espère que nous allons avoir plus de succès.

— Moi aussi. Je me demande ce qu'on va trouver, là-haut.

— Popocatépetl!

— Quoi? Qu'est-ce que tu dis? Je n'entends rien, à cause du vent!

— Je n'ai rien dit, répondit Violette.

Nez en l'air, elle clignait des yeux vers le sommet. Avait-elle bien entendu? Elle n'osait y croire.

Le Popocatépetl, vous le savez sûrement, est un volcan mexicain qui doit son nom aux Aztèques. Haut de 5452 mètres, il n'est pas le sommet le plus difficile à conquérir, encore que son ascension réclame un entraînement que je n'ai pas – et vous non plus, très probablement. Mais lorsque Violette, sur le point de conquérir le mont Augur, crut entendre le vent prononcer ce mot-là, « Popocatépetl », elle ne songea ni au Mexique ni à la noble civilisation qui peupla jadis cette région du monde. Ce que signifiait popocatépetl, elle le savait, mais dans une tout autre langue que l'aztèque. Simplement... avait-elle la berlue ?

Le cœur battant, elle planta sa fourchette le plus haut possible et allongea le cou. Là, éblouie par un reflet de soleil oblique sur de très jolies petites dents, elle comprit qu'elle n'avait pas halluciné. Dans le cas présent, popocatépetl signifiait bel et bien : « Je le savais, que vous me retrouveriez ! »

— Popocatépetl ! répéta Prunille Baudelaire.

— Prunille ! jubila Violette.

— Chhhut ! fit Prunille ; autrement dit : « Pas si fort ! »

— Qu'est-ce que c'est ? demanda Quigley, une longueur de bras au-dessous de Violette.

— C'est Prunille, répondit Violette à mi-voix, tout en se hissant sur le sommet.

Sa petite sœur était là, radieuse, devant la voiture du comte Olaf. Sans un mot de plus, les deux filles Baudelaire s'étreignirent à s'étouffer, Violette attentive à ne pas embrocher sa cadette d'un coup de fourchette. Le temps pour Quigley de se hisser sur le sommet à son tour, puis de s'adosser à la voiture, un peu essoufflé, et les sœurs s'entre-dévoraient des yeux, des larmes aux cils.

— Prunille, oh ! Prunille, murmurait Violette. Je savais que je te reverrais. Je le savais.

— Klaus ? s'enquit Prunille.

— En bas, répondit l'aînée. Tout près d'ici, en sûreté. Lui aussi savait qu'on te retrouverait.

— Popocatépetl, confirma Prunille.

Mais soudain ses yeux s'écarquillèrent ; elle venait de remarquer Quigley.

— Beauxdraps ? dit-elle, incrédule.

— Oui, répondit Violette. C'est Petipa Beauxdraps, mais en fait on l'appelle Quigley. Il était sorti indemne de l'incendie, lui aussi, en fin de compte. (Sur ses jambes un peu branlantes, Prunille alla serrer la main de l'arrivant.) Il nous a menés au Q. G., tu sais, Prunille. Avec une carte qu'il a dessinée lui-même.

— Arigato, dit Prunille ; ce qui signifiait, en gros : « Mes plus vifs remerciements, Quigley. »

— Est-ce toi qui nous as envoyé ce signal ? demanda Quigley. Un signal de fumée verte ?

— Yep, fit Prunille. Lox.

— Quoi ? se récria Violette. Le comte Olaf t'a fait faire la cuisine ?

— Tornado, dit Prunille.

— Il lui a même fait enlever les miettes de la voiture, traduisit Violette pour Quigley. En soufflant dessus tant qu'elle pouvait.

— N'importe quoi ! s'indigna Quigley.

— Cendrillon, ajouta Prunille ; autrement dit :
« C'est moi qui fais toutes les corvées, et en plus je
suis traitée comme une moins que rien. »

Mais Violette n'eut pas le temps de traduire. La
voix râpeuse du comte Olaf les interrompit.

— Où es-tu, cochon de lait ? appelait-il d'un
ton gourmand, manifestement ravi de cette insulte
inédite. J'ai du boulot pour toi !

Les trois enfants échangèrent un regard de
panique absolue.

— Cache ! souffla Prunille, et point n'était
besoin de traduire.

Violette et Quigley cherchèrent des yeux, éperdument, où se cacher sur ce sommet nu comme
un clou. Il n'y avait vraiment qu'un seul endroit
possible.

— Sous la voiture, vite ! souffla Violette.

Et Prunille, retenant son souffle, regarda les deux
grands se tortiller sous la longue auto – laquelle ne
sentait pas la rose, encore moins que son proprié-
taire. Violette, qui avait inspecté bien des fois les
dessous d'un véhicule à moteur, jeta au châssis
un regard d'expert et jamais, au grand jamais, elle
n'en avait vu d'aussi mal entretenu – expression
signifiant ici : « si déglingué qu'il dégoulinait d'huile
noire sur quiconque avait la malchance d'être obligé
de se fourrer dessous ».

Mais ni Violette ni Quigley n'eurent le temps de s'attarder à des questions de confort. Leurs semelles à crampons-fourchettes sitôt disparues, Olaf et compagnie arrivaient sur les lieux. Depuis leur cachette, les deux clandestins n'avaient vue que sur une paire de souliers sales dont émergeaient des chevilles sales, l'une d'elles ornée d'un hideux tatouage, et sur deux escarpins à talons hauts, festonnés d'un liséré clinquant au motif en forme d'œil. Violette n'avait pas besoin de gros efforts d'imagination pour voir en pensée le restant des propriétaires de ces pieds.

— Il faudrait peut-être songer au souper! ronchonnait le comte Olaf. Jusqu'ici, de toute la journée, on n'a rien eu d'autre à se mettre sous la dent qu'un peu de saumon à peine cuit. Alors à tes casseroles, mini-cuistot!

— Demain, c'est le Printemps des fous, minauda Esmé. Ce serait très tendance de se faire un petit souper de Printemps des fous ce soir, non?

— Tu entends, petite chose? dit Olaf à Prunille. Ma chère et tendre aimerait un souper chic. Au boulot!

— Olaf! intervint la voix caverneuse, on a besoin de toi.

D'instinct, Violette et Quigley se recroquevillè-rent plus encore. Deux paires de grands souliers, aussi noirs que sinistres, vinrent rejoindre les deux

paires précédentes, lesquelles parurent se tré-
mousser, mal à l'aise. Une vague d'air glacé se coula
sous le véhicule, et Violette dut se caler les pieds
contre un pneu pour retenir ses genoux de jouer des
castagnettes contre le tuyau d'échappement.

— Ouaip, Olaf ! Et tout de suite, renchérit la
voix rouillée. Notre grand recrutement aura lieu
demain matin, et il nous faut un coup de main pour
installer le filet.

— Et nos employés, alors ? dit Esmé. Ils peuvent
bien vous le donner, ce coup de main, non ? Vous
avez l'homme aux crochets, les deux enfarinées,
ces trois monstres qu'on a pêchés à Caligari... Avec
vous deux, ça fait huit paires de bras. Ça devrait
suffire. Quand on est trop nombreux, on se gêne...

Les grands souliers noirs s'approchèrent.

— C'est vous qui allez mettre ce filet en place,
décréta la voix caverneuse. Parce que c'est moi qui
le dis.

Il y eut un silence polaire, puis Olaf laissa
échapper un petit rire haut perché.

— Excellente raison. Viens, Esmé. On a donné
nos ordres au vermisseau, de toute façon. Aucune
raison de rester ici.

— Très juste, glapit Esmé. D'ailleurs, je commen-
çais à m'ennuyer... Même que je fumerais bien un
peu. Vous n'auriez pas encore une ou deux de ces
excellentes cigarettes vertes, je vous prie ?

— Non, trancha la voix rouillée, et les grands souliers noirs tournèrent les talons. C'était la seule.

— Euh, dommage, bafouilla Esmé. Je... Je n'aimais pas trop l'odeur ni le goût, et fumer est nocif pour la santé, mais les cigarettes sont très tendance ces temps-ci, surtout vertes. J'en aurais bien fumé une de plus.

— Il se peut qu'il en reste une ou deux dans les décombres du Q. G., dit la voix caverneuse. Mais pour les retrouver... Vu les tombereaux de cendres à remuer... Et je sais ce que je dis. Nous avons eu beau fouiner, farfouiller, rien à faire pour mettre la main sur le sucrier...

— Hé ! coupa Olaf, pas devant la petite !

Les voix se turent net, les pieds s'éloignèrent. Violette et Quigley restèrent prudemment à couvert jusqu'au moment où Prunille leur chuchota :

— Voilib ! Autrement dit : « Vous pouvez ressortir, tout danger est écarté ! »

Quigley s'extirpa de dessous la voiture.

— Pas rassurants, ces personnages-là, marmotta-t-il en époussetant son parka noirci. Ils me donnent froid dans le dos.

— Moi aussi, avoua Violette. Ils avaient une aura de menace, je trouve. La cheville tatouée, Quigley, c'était le comte Olaf. Et les talons hauts à paillettes, Esmé d'Eschemizerre. Mais les deux autres, Prunille, c'était qui ?

— Nossé, murmura Prunille. Etna.

Ce qui signifiait, en gros : « Aucune idée, mais ils ont réduit en cendres le quartier général de S.N.P.V. », ce que Violette transmit à Quigley en traduction simultanée. Puis elle se retourna vers sa cadette :

— Justement, c'est de là que nous venons : des cendres du Q. G., tout en bas. Klaus y a trouvé un message codé qui a en partie échappé aux flammes. Le temps qu'on redescende tous les trois, il l'aura sûrement déchiffré. Viens vite.

— Nogo, dit Prunille ; autrement dit : « Descendre avec vous ? Pas sûr que ce soit une bonne idée. »

— Et pourquoi donc ? s'étonna Violette.

— Avreçur.

Violette se tourna vers Quigley.

— Elle dit que, d'après ce qu'elle a entendu, il resterait un dernier lieu sûr où les volontaires puissent se réunir...

— Oh ! Et où ça ? L'as-tu entendu, Prunille ?

Prunille fit non de la tête.

— Olassier.

— Mais si le dossier Snicket est entre les mains d'Olaf, reprit Violette, comment comptes-tu t'y prendre pour découvrir où se trouve ce dernier lieu sûr ?

— Matahari, répondit Prunille, très sûre d'elle. En d'autres mots : « En restant ici, je pourrai espionner. Je finirai bien par savoir. »

— Il n'en est pas question, déclara Violette, catégorique, après avoir traduit pour Quigley. C'est bien
trop dangereux ! Tu ne vas pas rester ici. Déjà, je trouve un peu raide qu'Olaf t'ait mise aux casseroles...

— Lox, dit Prunille.

— Et pour ce fameux souper de Printemps des
fous, hein, tu ferais quoi ?

Avec un petit sourire malin, Prunille alla ouvrir
le coffre. Violette et Quigley l'entendirent fourrager
dans ce qu'il restait des provisions mais ils ne la
rejoignirent pas, de peur d'être aperçus de l'ennemi. Lorsqu'elle revint vers eux, la petite souriait
jusqu'aux oreilles et serrait sur son cœur le bloc
d'épinards pris en glace, le grand sac de champignons, la boîte de châtaignes d'eau et l'aubergine
aussi grosse qu'elle.

— Rouloprintanfou ! dit-elle, ce qui signifiait
quelque chose comme : « Légumes variés enroulés
dans des feuilles d'épinard, spécialité du chef en
l'honneur du Printemps des fous. »

— Quelle énorme aubergine ! fit observer
Violette. Elle doit peser au moins autant que toi.

— Supertunité, expliqua Prunille ; signifiant par
là : « Servir ce souper, c'est ma meilleure chance de
tendre l'oreille. Bien le diable si je ne glane pas de
précieux renseignements. »

— Ça paraît risqué, commenta Quigley, après
traduction par Violette.

— Et pas qu'un peu ! Si jamais ils s'aperçoivent qu'elle les espionne, qui sait de quoi ils seront capables ?

— Areuh areuh, fit Prunille ; autrement dit : « Aucun danger ; ils me prennent tous pour un bébé innocent. »

Quigley se tourna vers Violette.

— Finalement, tu sais, je me demande si elle n'a pas raison. Sans compter que la descendre le long de cette pente glissante, avec la nuit qui tombe, ce ne serait pas très prudent. N'oublie pas que c'est quand même sacrément acrobatique. Non, laissons Prunille enquêter ce soir. Elle a de bonnes chances de succès, et pendant ce temps nous mettrons sur pied un plan d'évasion.

— Laisser ma petite sœur toute seule ici ? s'entêta Violette. Pas question. Nous séparer, nous, les Baudelaire ? Jamais.

— Klausséparé, rappela Prunille.

— S'il existe un dernier lieu sûr pour les volontaires, dit Quigley, il faut absolument découvrir où il se trouve. Prunille est bien placée pour le faire, mais seulement si elle reste ici.

— Je ne vais sûrement pas laisser ma petite sœur en haut d'une montagne, s'entêta Violette. Tu parles d'un endroit pour un bébé !

Alors Prunille laissa choir à terre sa brassée de légumes et s'avança vers sa sœur, radieuse.

— Plus un bébé.

Et, ouvrant grand ses petits bras, elle étreignit son aînée de toutes ses forces. C'était la plus longue phrase en clair jamais prononcée par la benjamine des Baudelaire et Violette, les yeux sur sa cadette, se rendit compte qu'elle disait vrai. Nonobstant son âge et son format, Prunille n'était plus un bébé. C'était une petite fille, toute petite, une très jeune personne aux dents exceptionnellement tranchantes, aux talents culinaires impressionnants, et qui ne voulait pas rater l'occasion d'espionner une bande de requins et de capter une information capitale. Quelque part dans le cours des désastreuses aventures des orphelins Baudelaire, Prunille avait dit adieu au stade bébé – que certains nomment si vilainement le « bas âge ».

Violette en eut un serrement de cœur, mais une bouffée de fierté aussi. Elle sourit à sa petite sœur.

— Tu as raison, Prunille. Tu n'es plus un bébé. Mais pas d'imprudence, hein ? Tu es une petite fille, d'accord, mais même pour une petite fille, il est très, très dangereux d'espionner une bande de malfrats. Et n'oublie pas : nous sommes au bas de la pente. En cas de besoin, envoie un signal.

Prunille ouvrit la bouche pour répondre, mais à cet instant, un curieux chuintement se fit entendre et les trois enfants se figèrent. C'était comme un sifflement prolongé en provenance de la voiture d'Olaf, à croire que l'un des serpents de l'oncle Monty s'était faufilé dessous. Le véhicule parut s'incliner de côté, en douceur, et Violette pointa du doigt un pneu qui s'affaissait à vue d'œil.

— Je parie que c'est moi qui l'ai crevé, chuchota-t-elle. Avec un de mes crampons-fourchettes.

— Crever un pneu, en principe, c'est moche, commenta Quigley. Mais là, à mon avis, tu n'as pas à avoir de remords.

— Alors, ce souper, il avance ? s'enquit la voix du comte Olaf, portée par le vent.

— Hou là ! souffla Violette, on ferait mieux de filer, nous deux. À très bientôt, Prunille !

Et elle serra sa jeune sœur contre elle, très vite, très fort, avec un petit baiser sur le crâne en prime.

— À bientôt, Prunille, dit Quigley, lui serrant la main. Bien content de t'avoir enfin rencontrée pour de bon. Et mille mercis pour ta petite enquête !

Prunille leva les yeux vers eux et leur dédia un grand sourire, ses petites dents parfaites étincelant dans le bleu du soir. Après n'avoir eu pour toute compagnie, deux jours durant, que des canailles, c'était tellement bon de trouver des gens sachant apprécier vos talents et vous comprendre à demi-mot ! Malgré l'absence de Klaus, il semblait à Prunille sortir d'une fête de famille. Elle en avait le cœur si léger qu'elle était prête à croire que ce séjour à la neige allait se conclure sur une heureuse fin.

Sur ce point-là, elle se trompait, mais pour l'instant, la benjamine des Baudelaire souriait, radieuse. Face à ces deux êtres qui l'estimaient – l'un dont elle venait de faire connaissance et l'autre qu'elle avait connu toute sa vie –, il lui semblait grandir de seconde en seconde.

— Contente, conclut-elle.

Et là encore, pas besoin de traduction.

CHAPITRE
XI

Dans les bandes dessinées, lorsqu'un personnage a une idée, une petite ampoule électrique apparaît au-dessus de sa tête. Dans les faits, il est assez rare de voir une ampoule allumée flotter au-dessus de la tête de quelqu'un qui vient d'avoir une idée. Mais cette image est devenue un symbole, le symbole de l'idée qui jaillit – de même que l'image d'un œil, hélas ! est devenue en certains lieux symbole de

crime et de malfaisance plutôt que de représenter la vigilance, le dévouement et le simple fait d'être cultivé.

Comme ils redescendaient le long de la pente glissante, leurs fourchettes-crampons mordant la glace à chacun de leurs pas prudents, Violette et Quigley virent en contrebas, dans le bleu du soir, la petite silhouette de Klaus. Il tenait au-dessus de sa tête une lampe de poche allumée, sans doute afin de guider leurs pas, et il ressemblait en tout point à un personnage de B. D. qui vient d'avoir une idée.

— Tiens ! dit Quigley, je parie qu'il a trouvé cette torche dans les décombres. Elle ressemble drôlement à celle que Jacques m'a donnée.

— J'espère qu'il a déniché suffisamment d'indices pour déchiffrer le message, dit Violette tout en testant la glace devant elle de la pointe de son chandelier. Oh ! attention, par ici. Ça paraît bien mince. On ferait mieux de contourner le secteur.

— Je ne sais pas si je me fais des idées, mais la glace m'a l'air moins solide qu'à la montée.

— Rien d'étonnant, tu sais. Nos fourchettes l'ont criblée de petits trous. Quand le Printemps des fous sera là, je sens que ça va dégeler à vue d'œil.

— Quand le Printemps des fous sera là, dit Quigley, j'espère que nous n'y serons plus. J'espère que nous serons je ne sais où, en route pour le dernier lieu sûr.

— Moi aussi, dit Violette à mi-voix.

Et les deux alpinistes, sans un mot, achevèrent leur longue descente, puis traversèrent le trou d'eau gelé en prenant soin de suivre le chemin que Klaus éclairait de sa torche.

— Ouf, pas fâché de vous revoir entiers, vous deux, déclara-t-il en guise de salut. J'ai l'impression que c'était périlleux, votre excursion. Et il commence à faire drôlement froid. Venez vite à l'entrée de la bibliothèque, on y est presque à l'abri des vents. Et vous me raconterez tout.

Mais Violette n'y tenait plus.

— C'était Prunille, dit-elle, hors d'haleine. Là-haut. C'était elle ! C'était elle qui nous envoyait le signal.

— Prunille ? répéta Klaus, les yeux immenses dans la pénombre. Mais qu'est-ce qu'elle faisait là-haut ? Elle est en sécurité, au moins ? Pourquoi ne l'avez-vous pas ramenée ?

— Elle est en sécurité, assura Violette. Avec le comte Olaf, mais en sécurité.

— Il ne lui a pas fait de mal, j'espère ?

— Non. Mais il lui refile toutes les corvées : la cuisine, le ménage et le reste.

— Quoi ? Les corvées ? À un bébé ?

— Elle n'est plus un bébé, Klaus, dit Violette. Nous ne l'avions pas remarqué, mais elle a rudement grandi. Bon, d'accord, elle est encore bien trop petite pour tout ce boulot, mais, quelque part au milieu de nos misères, elle a cessé d'être un bébé.

— En tout cas, ajouta Quigley, elle est déjà assez grande pour écouter sans en avoir l'air. Elle a découvert qui a mis le feu au Q. G.

— Nous n'avons vu que leurs pieds, précisa Violette, mais ce sont deux drôles de personnages. À faire frémir. Un homme et une femme, il m'a semblé. Tous deux avec une sacrée aura de menace. Même le comte Olaf en a peur.

— Et qu'est-ce qu'ils fabriquent, là-haut ?

— Apparemment, répondit Quigley, ils tiennent une espèce de colloque de malfrats. Il a été question d'un plan de recrutement et d'un grand filet.

— Réjouissant, dit Klaus.

— Attends, ce n'est pas tout, reprit Violette. Le comte Olaf a le dossier Snicket, et il semble bien qu'il existe encore un lieu secret – le tout dernier des havres sûrs, d'après ce qu'a entendu Prunille, pour les gens de S.N.P.V. C'est pour ça qu'elle est restée là-haut. Pour essayer d'entendre où se trouve cet endroit au juste. Alors nous saurons où aller pour rencontrer les derniers volontaires.

— Pourvu qu'elle réussisse, marmotta Klaus. Sinon, ce que j'ai découvert ne nous servira à rien.

— Et qu'as-tu découvert ? demanda Quigley.

— Je vais vous montrer, dit Klaus, et il ouvrit la voie en direction des ruines de la bibliothèque.

Là, dans le crépuscule, Violette vit que son frère n'avait pas perdu de temps. Son calepin neuf était ouvert, et manifestement plusieurs pages étaient déjà noires de notes. Juste à côté s'empilaient divers bouts de papier à demi calcinés, sous une tasse noircie servant de presse-papier, et le contenu du réfrigérateur s'étalait à proximité, soigneusement rangé en demi-cercle : le pot de moutarde, la jarre d'olives, les trois pots de confiture et la verveine fraîche. Le petit bocal contenant le cornichon solitaire était placé à l'écart, avec le flacon de jus de citron.

— C'est l'une des recherches les plus ardues que j'aie jamais menées, dit Klaus, s'asseyant à côté de son calepin. Les livres de droit de la juge Abbott étaient un sacré casse-tête, d'accord, les traités de grammaire de tante Agrippine plutôt casse-pieds, mais cette bibliothèque S.N.P.V., c'est une autre paire de manches. Le problème n'est plus de savoir quel livre chercher, le problème est de trouver des pages lisibles.

— Et cette histoire de Subsistances non périssables à vérifier, s'informa Quigley, tu as éclairci le mystère ?

— Au début, raconta Klaus, ça semblait être un problème insoluble. Le bout de papier qui nous avait menés au frigo, je l'avais trouvé dans un gros tas de cendres, et ça m'a pris un temps fou de le passer au crible. Mais j'ai finalement trouvé une page qui semble bien provenir du même manuel...

Tout en parlant, il rouvrait son carnet et braquait dessus sa lampe de poche.

— Cette malheureuse page était si friable que je me suis dépêché de la recopier avant qu'elle tombe en miettes. Elle explique, en gros, comment fonctionne le code.

— Lis-nous ça, dit Violette.

Et Klaus s'exécuta, mot signifiant ici : « répondit au souhait de Violette et lut à voix haute un paragraphe alambiqué, que par bonheur il expliquait au fur et à mesure ».

— « Les Subsistances non périssables à vérifier sont un système de messagerie codée réservé aux situations d'urgence, qui fait appel aux produits les plus notoirement susceptibles de désuétude conservés dans un réfrigérateur. L'emploi du code susdit dans un réfrigérateur donné sera confirmé par la présence de verveine fraîchement cueillie. » (Il leva le nez de ses notes.) La phrase s'arrête là, mais d'après ce que j'ai compris, cette verveine fraîche signale la présence d'un message dans ce frigo.

— Cette partie-là, ça va, je comprends, dit Violette. Mais que veut dire : « les plus notoirement susceptibles de désuétude » ?

— Je n'en suis pas absolument sûr, mais je pense que ce sont les choses qui ne servent pas très souvent, celles qui ont tendance à se faire oublier au fond du frigo.

— Je vois, dit Violette. Comme la moutarde, les confitures, ce genre de choses.

— Je continue, annonça Klaus. « Le découvreur du message doit impérativement s'assurer qu'il en est bien le destinataire en recherchant ses initiales comme indiqué dans les vers suivants, signés de l'un de nos volontaires poètes... » Et, juste après ça, il y a ce court poème :

Pour lire le nom du destinataire,
Ouvrir la confiture la moins claire.

— C'est un distique, diagnostiqua Quigley. Comme ceux qu'écrit ma sœur.

— Oui, dit Violette, mais je ne crois pas que celui-ci soit d'Isadora. Si ça se trouve, ce code existait déjà avant sa naissance.

— C'est aussi ce que j'ai pensé, dit Klaus, mais, du coup, je me suis demandé d'où Isadora tient cette idée d'écrire des distiques. Elle a peut-être eu affaire à un volontaire.

— En tout cas, elle a eu un prof de poésie quand elle était plus jeune, se souvint Quigley. Mais je ne l'ai jamais rencontré. Moi, je prenais des cours de cartographie.

— Une chance pour nous, dit Violette. Sans tes talents de cartographe, pas sûr que nous aurions trouvé ce Q. G.

— Et sans tes talents d'inventrice, dit Klaus, jamais vous ne seriez montés jusqu'à Prunille.

— Et sans tes talents de chercheur, répliqua Violette, va savoir où nous en serions. Pour un peu, on dirait que nous avons tous reçu, sans le savoir, une formation conçue tout exprès!

— Je n'ai jamais eu l'impression de subir une formation, répondit Quigley. J'adorais les cartes et la cartographie, c'est tout.

— Et moi, enchaîna Klaus, je n'ai pour ainsi dire aucune formation en poésie, mais j'ai dans l'idée que ces deux vers signifient qu'à l'intérieur du pot de confiture le plus sombre se trouve le nom de la personne à qui s'adresse le message.

Violette examina les trois pots à la lumière de la torche.

— Abricot. Fraise. Mûre-framboise. La moins claire, c'est la mûre-framboise.

Klaus cligna des yeux vers les trois pots et approuva. D'une main décidée, il dévissa le couvercle du pot de gelée de mûre-framboise.

— Regardez, dit-il, inclinant le pot vers Violette et Quigley, sa torche braquée au-dessus du pot.

Là, dans la gelée bien ferme, gravées à la pointe du couteau, se lisaient deux lettres : J et S.

— J. S., murmura Quigley. Jacques Snicket.

— Mais le message ne peut pas être pour lui, répliqua Violette. Il est mort.

— Sauf que celui qui a écrit le message n'en savait peut-être rien, dit Klaus. Écoutez la suite. « En cas de nécessité, il est fait appel à un calendrier codé à base de fruits en saumure afin d'indiquer la date d'une prochaine réunion. Le dimanche est représenté par une unique o... » Ici aussi, il y a un grand trou, mais je pense pouvoir en déduire que ces olives indiquent, de façon codée, quel jour de la semaine aura lieu le prochain rassemblement. Une olive : dimanche. Deux olives : lundi. Trois olives...

— Il y en a combien, dans le pot ? s'enquit Quigley.

— Cinq, répondit Klaus, plissant le nez. Vérifiez, si vous voulez. J'ai compté sans dévisser le couvercle, l'odeur des olives me fait lever le cœur depuis ces affreux martinis à l'eau qu'on nous servait chez les d'Eschemizerre.

— Cinq olives, calcula Violette, ça veut dire jeudi.

— Et aujourd'hui on est vendredi, ajouta Quigley. Sauf erreur, la prochaine réunion de volontaires aura lieu dans moins d'une semaine.

Les deux Baudelaire acquiescèrent gravement. Klaus rouvrit son calepin et reprit sa lecture à voix haute :

— « Sur l'étiquette d'un condiment à base d'épices et d'aromates devrait se trouver une allusion à quelque poème codé. »

— Je ne suis pas sûr de comprendre, avoua Quigley.

Klaus prit en main le pot de moutarde.

— C'est là que ça se complique, reconnut-il avec un soupir. La moutarde est un condiment à base d'épices et d'aromates, et, d'après le code, son étiquette devrait nous renvoyer à un poème.

Violette aussi avait peine à suivre.

— Mais comment de la moutarde pourrait-elle nous renvoyer à un poème ?

Klaus eut un petit sourire.

— Comme je vous l'ai dit, c'est un peu tordu. Mais je crois que j'ai trouvé. En étudiant la liste des ingrédients. Écoutez ça : « Vinaigre, moutarde en grains, sel, curcuma, quatre derniers vers de la onzième strophe du poème "Le Jardin de Proserpine" par Algernon Charles Swynburne, calcium disodique, conservateur naturel » – naturel, enfin, c'est ce qu'ils disent. Bref, voilà. La référence au poème était cachée dans la liste des ingrédients.

— Excellente cachette, dit Violette. Personne ne la lit jamais, cette liste. Et le poème, tu l'as trouvé ?

Klaus fronça les sourcils et souleva la tasse presse-papier.

— Sous un panneau de bois rongé par le feu, sur lequel on lisait encore vaguement «POE», j'ai trouvé une montagne de bouquins carbonisés, mais il restait ceci, dit-il en brandissant un très petit bout de papier aux contours calcinés. Et, croyez-le ou non, ce sont les quatre derniers vers de la onzième strophe du poème «Le Jardin de Proserpine» par Algernon Charles Swynburne. Comment je le sais? Facile: le nom du poème est écrit en tout petit à côté du numéro de page, et les strophes sont numérotées.

— Bravo, dit Quigley, ça tombe à pic.

— Un peu trop à pic, reprit Klaus. La bibliothèque entière est détruite, et l'unique fragment de poème qui subsiste est justement celui dont nous avons besoin. Drôle de coïncidence. C'est à croire que quelqu'un savait que nous rechercherions ceci.

— Et que disent ces quatre vers? s'enquit Violette.

— Oh! ce n'est pas très gai. (Klaus inclina la lampe de poche et lut.)

De ce que nulle vie n'est à vivre à jamais
Et que nul mort, jamais, ne revient à la vie,
Et qu'après maints détours le fleuve le plus las
Comme en un havre sûr aboutit à la mer.

Les enfants frissonnèrent et, sans se consulter, resserrèrent leur petit cercle. La nuit était tombée pour de bon, on n'y voyait plus grand-chose en dehors de la flaque lumineuse que la torche électrique de Klaus jetait sur leurs pieds immobiles. S'il vous est arrivé d'être assis dans le noir avec tout juste une lampe de poche, vous connaissez cette impression que tout rôde alentour, hors du rond de lumière que vous tenez à la main. Et un poème sur la mort n'est sans doute pas le meilleur réconfort en pareil cas.

— Dommage qu'Isadora ne soit pas là, murmura Quigley. Elle nous dirait, elle, ce que signifient ces vers.

— Le fleuve le plus las / Comme en un havre sûr aboutit à la mer, répéta Violette, songeuse. Vous croyez que ça pourrait avoir un rapport avec le dernier lieu sûr ?

Klaus fronça les sourcils.

— Difficile à dire. Et je n'ai vraiment rien trouvé d'autre qui puisse nous éclairer.

— Et le jus de citron ? insista Violette. Et le cornichon ?

Klaus fit non de la tête, ce qui n'est jamais très utile dans l'obscurité.

— Le message en disait peut-être plus long, soupira-t-il. Mais tout ça est parti en fumée. J'ai fureté partout dans ce qui reste de cette pauvre bibliothèque. Rien trouvé, rien de rien.

Violette prit le fragment de page des mains de son frère et l'examina, le nez dessus.

— Hé ! dit-elle soudain. Il y a autre chose, là... Un truc écrit à la main, on dirait bien. Au crayon. Mais c'est tellement pâle, je n'arrive pas à lire.

Quigley ouvrit son sac à dos.

— J'oubliais, dit-il : nous avons deux lampes de poche.

Et il braqua la sienne sur le bout de papier, en complément de celle de Klaus.

Violette disait vrai. Un mot était griffonné au crayon, à peine lisible, juste à côté des quatre derniers vers de la onzième strophe du poème. Les trois enfants se penchèrent dessus, leurs fronts se touchant presque. Les vents de la nuit faisaient trembloter le frêle bout de papier, trembloter de froid les trois enfants et trembloter les lampes de poche, mais finalement les trois paires d'yeux parvinrent à déchiffrer le mot presque effacé.

— Sucrier, lurent les enfants en chœur, et ils s'entre-regardèrent.

— Sucrier ? dit Klaus. Qu'est-ce que ça vient faire là ?

Violette prit Quigley à témoin.

— Tu te souviens, tout à l'heure, quand on était cachés sous la voiture ? Il y a bien un de ces affreux qui a parlé ou commencé à parler de sucrier, non, ou j'ai rêvé ?

— Tu n'as pas rêvé, dit Quigley, et quand j'y pense... (Il rouvrit son gros carnet.) Jacques Snicket aussi avait parlé d'un sucrier, un jour que nous étions dans la bibliothèque Montgomery. Il avait l'air de tenir énormément à le retrouver. J'avais même ouvert une page spéciale Sucrier dans mon calepin, au cas où je trouverais de l'info à ce sujet. Rien, conclut-il, montrant la page blanche.

Klaus ravala un soupir.

— Toujours pareil : plus on en découvre, plus le mystère s'épaissit. Nous voilà sur les lieux, dans ce fameux Q. G. Nous venons de décoder un message, et tout ce que nous savons de plus est qu'il reste un dernier lieu sûr et que les volontaires s'y réuniront jeudi.

— Ça pourrait suffire, murmura Violette, si Prunille découvre où se trouve ce lieu sûr.

— Et pour retirer Prunille des griffes du comte Olaf, demanda Klaus, on s'y prend comment ?

— On retourne là-haut avec nos super crampons-fourchette, dit Quigley. On l'enlève en douce et on la redescend.

— Marchera jamais, le contredit Violette. Dès la minute où ils découvriront que Prunille a disparu, ils nous retrouveront. Tu oublies que, de là-haut, le regard porte sur des kilomètres à la ronde. Et ils sont plus nombreux que nous.

— Exact. Dix contre quatre. Mais alors, que faire ?

— Olaf détient quelqu'un que nous aimons, dit Klaus, réfléchissant à voix haute. Si nous pouvions marchander contre autre chose, quelque chose qu'il aime... À votre avis, que peut bien aimer le comte Olaf ?

— Les gros sous, dit Violette.

— Le feu, dit Quigley.

— Nous n'avons pas de gros sous, dit Klaus, et Olaf ne nous rendra pas Prunille contre du feu. Il y a forcément quelque chose qu'il aime par-dessus tout. Quelque chose qui le rend heureux, quelque chose qui lui manquerait terriblement si on le lui enlevait.

Violette et Quigley échangèrent un regard d'intelligence.

— Esmé d'Eschemizerre, répondit Violette. Le comte Olaf aime bien Esmé. Si nous tenions Esmé captive, nous pourrions l'échanger contre Prunille.

— Pas faux, reconnut Klaus. Mais nous ne tenons pas Esmé captive.

— Nous pourrions la capturer, suggéra Quigley, et les trois enfants se turent.

Capturer quelqu'un est un acte scélérat, bien sûr. Et envisager un acte scélérat – même si l'on estime avoir d'excellentes raisons de le faire –, c'est devenir un peu scélérat soi-même. Depuis quelque temps, les enfants Baudelaire s'étaient livrés à de menues scélératesses – chiper des clés, se déguiser, mentir, aider à incendier un parc forain – et ils commençaient à se sentir de plus en plus scélérats eux-mêmes. Mais ni Violette ni Klaus n'avaient encore rien fait d'aussi grave que de capturer quelqu'un, et au silence de Quigley ils devinaient que lui non plus ne se sentait pas très à l'aise, assis par terre dans le noir et en train de mijoter un complot scélérat.

— On ferait ça comment ? demanda Klaus très bas.

— Il faudrait l'attirer ici, avança Violette, et la piéger.

Quigley griffonnait quelque chose dans son calepin.

— On pourrait se servir des Signaux neutres à portée de vue, dit-il. Esmé les prend pour des cigarettes, des cigarettes ultrachic. Si nous en allumions deux ou trois, peut-être qu'elle flairerait la fumée et descendrait ici.

— Et ensuite ? insista Klaus.

Violette frissonna et plongea la main dans sa poche. Là, ses doigts butèrent sur le manche du couteau à pain – dont elle avait oublié l'existence – puis trouvèrent ce qu'elle cherchait. Elle sortit son ruban et s'en attacha les cheveux pour se dégager le front. Elle avait peine à croire qu'elle s'apprêtait à user de son génie inventif pour imaginer un piège.

— Le piège le plus facile à construire, dit-elle, c'est la fosse. Il suffirait de creuser un grand trou, puis d'installer par-dessus un peu de ce bois à moitié brûlé pour le camoufler. Elle n'y verrait que du feu – si j'ose dire – mais, sitôt qu'elle mettrait le pied dessus, comme ce bois ne demande qu'à casser...

Elle n'acheva pas sa phrase. À la lueur des deux lampes de poche, Klaus et Quigley acquiesçaient en silence.

— On appelle ça une trappe, dit Klaus. Pour capturer les bêtes sauvages. Les trappeurs utilisent ce type de piège depuis la nuit des temps.

— Ce qui n'est pas une excuse, marmotta Violette.

— Et on la creuserait comment, cette fosse ? s'inquiéta Quigley.

— On manque un peu d'outils, reconnut Violette, il va sans doute falloir faire ça avec nos mains. Et quand la fosse atteindra une certaine profondeur, il nous faudra aussi de quoi transporter la terre au-dehors.

— J'ai toujours ce pichet, rappela Klaus.

— Et trouver comment remonter du fond de la fosse, compléta Violette.

— J'ai une corde dans mon sac à dos, dit Quigley. En l'attachant à l'arche, on pourra s'en servir pour ressortir.

Violette palpa le sol. Il était froid, mais meuble. Creuser là-dedans ne devait pas exiger des efforts surhumains.

— Mais... vous êtes sûrs qu'on a le droit de faire ça ? demanda-t-elle, soudain prise de doutes. Vous pensez que c'est bien ? Que nos parents approuveraient ?

— Nos parents, ils ne sont pas là, murmura Klaus. Il se peut qu'ils aient été là un jour, mais aujourd'hui...

Le silence retomba. Chacun s'efforçait de réfléchir, si tant est que l'on puisse réfléchir dans le froid, le vent et la nuit hostile.

Décider si ceci ou cela est la chose à faire dans une situation donnée, c'est un peu comme de décider dans quelle tenue se rendre à une soirée. Assez facile de trancher sur ce qu'il n'est pas question de porter, comme une tenue de plongée, par exemple, ou deux énormes oreillers, l'un par-derrière, l'autre par-devant. Mais décider quelle tenue enfiler est nettement plus délicat. Un costume bleu marine peut vous paraître idéal, mais comment savoir si, à cette soirée, il n'y aura pas sept ou huit costumes bleu marine, et si vous ne vous retrouverez pas menotté pour cause d'erreur sur la personne ? De même, vous pouvez juger bon de porter vos chaussures préférées, mais en cas d'inondation brutale, vos chaussures préférées seront fichues. De même, porter une cotte de mailles peut vous sembler une bonne idée, mais il n'est pas totalement exclu que cinq ou six autres cottes de mailles se retrouvent à cette soirée, et que pour cause d'erreur sur la personne, une inondation vous entraîne au large, auquel cas vous regretterez de n'avoir pas choisi plutôt la tenue de plongée. La vérité est que jamais vous n'êtes certain à cent pour cent que votre choix sera le bon, du moins jamais avant que la soirée ne s'achève, et à ce stade il est bien trop tard pour changer d'avis et de tenue – et voilà pourquoi le monde fourmille de gens qui font des choses horribles et qui sont horriblement vêtus, et pourquoi si peu de gens de bonne volonté sont en mesure de les en empêcher... Mais je m'égare.

Enfin Violette rompit le silence.

– Je ne sais pas si c'est bien de faire ça, mais le comte Olaf a capturé Prunille, et je ne vois pas d'autre moyen que de capturer quelqu'un, nous aussi, pour l'obliger à nous la rendre.

— Oui, dit Klaus gravement. Ça s'appelle combattre le feu par le feu.

— On ferait bien de s'y mettre tout de suite, résolut Quigley, se levant. Et demain matin on allumera un ou deux Signaux neutres à portée de vue à l'aide du miroir, comme ce matin.

— Demain matin ? s'écria Violette. Pour que cette fosse soit prête, il va falloir creuser toute la nuit.

— Et on la creuse où, au fait ? s'avisa Klaus.

— Devant l'entrée, décida Violette. Comme ça, on pourra se cacher derrière l'arche à l'approche d'Esmé.

— Et comment savoir qu'elle est tombée dedans, si on ne regarde même pas ? s'inquiéta Quigley.

— Oh ! on l'entendra, répondit Violette. D'abord, il y aura le craquement du bois, et peut-être aussi qu'elle criera.

— Ce ne sera pas très plaisant à entendre, dit Klaus avec appréhension.

— Ce n'est pas une chose très plaisante à faire, non plus, souligna Violette.

Et l'aînée des Baudelaire disait vrai. Ce n'était pas très plaisant de s'agenouiller face à l'entrée de la bibliothèque dévastée et de creuser à mains nues les cendres et la terre froide, à la lueur de deux lampes de poche et dans l'haleine glacée des neuf percées à tout vent. Ce n'était pas très plaisant de transporter la terre extraite à l'aide d'un broc non prévu pour cet usage, ni de nouer une corde à l'arche afin de pouvoir ressortir de cette fosse qui se faisait de plus en plus béante, pareille à un gosier de monstre prêt à vous happer tout rond. Ce n'était même pas très plaisant de s'offrir une petite pause en croquant des carottes crues pour se refaire des forces, ni de contempler la cascade gelée qui scintillait sous la lune, non plus d'imaginer Esmé descendant là, le lendemain, attirée par la fumée verte et se jetant droit dans la fosse pour s'y retrouver captive. Mais le moins plaisant de tout n'était pas la terre froide, ni les vents coulis, ni la fatigue qui croissait à mesure que les enfants creusaient, creusaient et creusaient encore. Non, le moins plaisant était l'idée têtue, qui trottait en rond dans les têtes, que peut-être agir ainsi n'était que pure scélératesse.

Oui, le pire était de ne pas savoir, le pire était de s'interroger. Creuser une fosse pour piéger quelqu'un, dans le but d'un échange d'otages avec un scélérat confirmé, était-ce une chose qu'auraient faite leurs parents ou d'autres volontaires? Mais tant de secrets étaient à présent enfouis sous les cendres qu'il était impossible de savoir, et ce doute taraudait les enfants avec chaque poignée de terre, chaque grimper de corde, chaque latte de bois à moitié brûlée mise en travers de la fosse afin de la camoufler.

Lorsque enfin le jour pointa au-dessus des escarpements noyés de brume, Klaus et Violette levèrent les yeux vers la cascade gelée. Tout là-haut, ils le savaient, bivouaquait une bande de malfaisants – mot signifiant ici, comme ailleurs, comme partout: «gens qui agissent mal et qui, mal agissant, font du mal à autrui». Mais, lorsqu'ils baissèrent les yeux vers le résultat de leurs efforts nocturnes, la fosse noire et sournoise creusée de leurs propres mains, la question qui les avait obscurément tenaillés toute la nuit se fit soudain très claire : en bas de la pente aussi n'y avait-il pas, tout comme au sommet, une petite bande de malfaisants ?

Et c'était bien l'interrogation la moins plaisante qui fût.

CHAPITRE
XII

Il n'y a pas si long-
temps, à Stockholm, en
Suède, des braqueurs
de banque dans
l'exercice de leur
profession
prirent une
poignée
d'employés
de banque
en otages.
Durant

plusieurs jours, braqueurs et otages vécurent au coude à coude tandis que les forces de l'ordre, au-dehors, se demandaient comment intervenir. Lorsque enfin la police parvint à menotter les braqueurs et à libérer les otages, ce fut pour découvrir que ceux-ci s'étaient liés avec leurs ravisseurs au point de prendre leur défense. Depuis ce jour, on nomme « syndrome de Stockholm » cet étrange comportement de victimes prenant le parti de leurs agresseurs et s'en déclarant grands amis.

Cela dit, il existe un autre syndrome, inverse du précédent et non moins courant, dans lequel la victime, loin de s'attendrir sur ses ravisseurs, les reconnaît pour ce qu'ils sont, des scélérats, les prend en grippe encore un peu plus chaque minute qui passe et n'attend qu'une chose, l'occasion de leur filer sous le nez. Cet état d'esprit, nommé « syndrome du mont Augur », était celui de Prunille, ce matin-là, tandis qu'elle méditait, les yeux sur la cascade gelée qui dévalait la pente à ses pieds.

La petite venait de passer une deuxième nuit sans sommeil au creux de sa cocotte en fonte – soigneusement rincée à la neige fondue pour éliminer l'odeur de poisson. Elle avait eu très froid, comme de raison, les neuf percées à tout vent ayant mis à profit les trous du couvercle, et elle avait tant claqué des dents qu'elle s'en était fendillé les lèvres. Mais ce n'étaient ni le froid mordant ni le fumet de saumon qui l'avaient empêchée de fermer l'œil. Non, c'était qu'elle enrageait d'avoir échoué dans sa mission. Car elle avait eu beau épier la conversation, elle n'avait rien appris du tout sur l'emplacement du dernier lieu sûr, pas plus que sur l'inquiétant «projet de recrutement» que mijotaient les sinistres visiteurs.

Naturellement, lorsque la bande s'était réunie pour souper autour du rocher plat, ces questions avaient été abordées. Mais chaque fois que Prunille, sous prétexte de faire le service, s'était approchée pour tendre l'oreille, elle s'était fait fusiller du regard et la conversation avait dévié vivement. Le seul sujet de fierté de Prunille, ce soir-là, avait été de servir un souper que tout le monde avait paru apprécier. Sans doute la faim n'y était-elle pas pour rien, mais, lorsque Prunille avait présenté ses rouleaux de Printemps des fous, nul n'avait fait grise mine et tous les malfrats, jusqu'au dernier, en avaient repris de bon cœur.

Cela dit, un détail crucial avait échappé à la vigilance de la bande et Prunille en remerciait le ciel infiniment. Comme elle l'avait annoncé à sa sœur, la benjamine des Baudelaire avait préparé un mélange de légumes enroulé dans des feuilles d'épinards, en l'honneur du Printemps des fous. Pour cette recette, elle avait utilisé le grand sac de champignons, la boîte de châtaignes d'eau en conserve et le bloc d'épinards congelés – ce dernier dégelé entre pull et sous-pull, comme pour le pain de mie. Prunille avait d'abord pensé y adjoindre l'aubergine, puis, à la dernière minute, elle avait résolu de l'épargner. Une meilleure idée lui était venue. Violette n'avait-elle pas fait remarquer que ce légume était aussi gros qu'elle et devait peser à peu près autant ? Au lieu de débiter l'aubergine, Prunille avait choisi de la camoufler derrière une roue de la voiture d'Olaf et à présent, tandis que le soleil montait et que les scélérats s'adonnaient à leurs chamailleries matinales, elle venait de récupérer le gros légume et le faisait rouler vers la cocotte en fonte.

Au passage, elle jeta un coup d'œil du côté de la cascade gelée, qui semblait de moins en moins gelée sous le soleil du matin. Ses aînés étaient en bas, elle le savait. C'était rassurant de les savoir si proches. D'ailleurs, si tout allait bien, elle n'allait pas tarder à les rejoindre.

— Et qu'est-ce que tu trafiques, microbe ?

Ouf ! Prunille venait tout juste de refermer le couvercle de la cocotte sur l'aubergine. Elle se retourna pour voir qui avait parlé. Les deux dames poudrées venaient de sortir de leur tente et se livraient à leurs exercices d'étirement.

— Moussaka, répondit Prunille ; autrement dit : « J'ai concocté un plan très rusé à partir d'une aubergine, et je peux bien vous en parler puisque vous ne comprenez pas un traître mot à ce que je dis. »

— Toujours ce babil sans queue ni tête, soupira l'une des dames poudrées. J'y crois de moins en moins, moi, à cette histoire d'espionnage. C'est un bébé, un point c'est tout.

— Areuh, a... fit Prunille.

Mais le « reuh » lui resta dans la gorge. La tente d'Olaf venait de s'ouvrir, et le comte s'avançait dans le soleil du matin, Esmé sur les talons. Clairement, tous deux estimaient que ce jour-là – un samedi – avait quelque chose de spécial, car ils s'étaient vêtus spécialement. Spécialement pour quoi, c'était difficile à dire, mais à coup sûr leurs affûtiaux sortaient de l'ordinaire.

Le comte Olaf, qui semblait – miracle ! – avoir fait un brin de toilette, arborait un costume flambant neuf apparemment taillé dans un tissu à pois. À mieux y regarder, ce n'étaient pas des pois, Prunille le découvrit avec horreur : c'étaient de petits yeux, un grouillement de petits yeux pareils à son tatouage, pareils à l'insigne de S.N.P.V., pareils à tous ces autres yeux braqués sur les enfants Baudelaire. Si bien que le comte, à lui seul, semblait une foule de scélérats, tous au regard vissé sur Prunille.

Mais si le costume d'Olaf avait de quoi vous glacer le sang, la tenue d'Esmé était pire encore. Prunille n'avait pas souvenir d'avoir jamais vu robe aussi colossale, encombrante, monumentale – c'était à se demander comment pareil attirail avait pu loger dans la tente et laisser place à ses occupants. Bizarrement, elle se composait d'une infinité de langues d'étoffe superposées, découpées en triangles aigus dans un tissu étincelant, le tout dans des tons de rouge, de jaune et d'orangé qui éclataient les uns sur les autres à vous en faire mal aux yeux. Une étrange collerette parachevait la robe, sorte de fraise à l'ancienne, haute, immense et ondulante, tout en tulle et en dentelle fine tantôt noir, tantôt anthracite. Un bref instant, Prunille, éberluée, se demanda à quoi pouvait rimer pareille robe, puis elle comprit et serra les dents. Esmé d'Eschemizerre s'était costumée en brasier.

— Quel matin magnifique ! s'égosilla le comte Olaf. Y pensez-vous ! Avant la fin du jour, ma troupe comptera plus de membres qu'elle n'en a jamais eu !

— Tant mieux, se réjouit Esmé. Il va nous falloir des bras pour œuvrer en vue du bien suprême, et brûler le dernier lieu sûr !

— La seule idée de l'hôtel Dénouement dans les flammes me met en transe ! clama le comte Olaf. Ah ! il faut que j'ouvre une bonne bouteille !

Prunille mit la main à sa bouche pour étouffer un petit cri. Hôtel Dénouement ! Sans aucun doute possible, c'était le dernier havre, le dernier lieu sûr où les volontaires pouvaient se réunir ! Dans son excitation, le comte Olaf avait prononcé le nom par inadvertance, expression signifiant ici : « en oubliant que certaines petites oreilles pouvaient être à l'affût ».

— Et moi, glapit Esmé, la seule idée de ces aigles emplissant le ciel me donne de délicieux frissons ! Ah ! il faut que je fume une de ces cigarettes vertes ! Sauf que je n'en ai pas. La barbe!

— Mille excuses, Ma'me Esmé, dit l'une des dames poudrées de blanc, mais je vois un peu de cette fumée verte justement, dans la vallée.

— Non ! c'est vrai ? s'écria Esmé, et elle regarda vers le bas de la pente.

Prunille aussi regarda. Et en effet, tout en bas, s'élevait un petit panache d'un ton vert déjà familier, qui grossissait comme un champignon dans la lumière du matin. Un message de ses aînés, mais pourquoi ? Que cherchaient-ils à lui dire ?

— Curieux, grommela Olaf. Franchement, à voir comme c'est noir, on aurait cru qu'il ne restait plus rien à brûler.

— Bon sang, regardez cette fumée, dit Esmé alléchée. Il doit y en avoir tout un stock, de ces cigarettes ! Décidément, quelle belle journée!

Le comte Olaf sourit et jeta un coup d'œil à Prunille.

— J'ai une idée, dit-il à Esmé. Envoyons la moufflette t'en chercher.

— Yessir ! s'écria Prunille.

— Elle? protesta Esmé avec un regard mauvais. Pour qu'elle se les garde? Merci bien, je préfère y aller moi-même.

— Mais ça va te prendre des heures. Tu ne veux pas assister au recrutement? Si tu savais comme c'est drôle! J'adore prendre les gens au piège...

— Moi aussi, mais ne t'inquiète pas, je serai de retour à temps. Pas l'intention de descendre à pied. Je vais prendre cette luge qui est là et me laisser glisser le long de la pente. En un clin d'œil, je serai en bas.

— Drat! lâcha Prunille malgré elle; autrement dit: «Juste ce que je voulais faire!»

Par bonheur, personne ne comprit.

— Tais-toi donc, requin de poche, grogna Esmé, et ôte-toi de mon chemin!

Elle passa sous le nez de Prunille et quelque chose, sans doute cousu dans l'ourlet de sa robe, crépitait à chaque pas avec la même rage qu'un grand feu.

— À tout de suite, chéri! lança-t-elle. Et n'oublie pas que la mouflette doit faire un gros dodo, pour en voir le moins possible.

— Ah! très juste, se souvint Olaf, et il se tourna vers Prunille avec un sourire goguenard. Dans ta cocotte, vermisseau! Tu es tellement pénible à regarder. Moins je te vois, mieux je me porte.

— Bien dit, homme de ma vie, gloussa Esmé,

prenant place sur la luge tout en haut de la cascade.

Les deux dames poudrées se précipitèrent pour l'aider, et elles poussèrent l'engin d'un geste résolu tandis que Prunille, docile, disparaissait de la vue d'Olaf.

Comme on peut l'imaginer, avec ses atours flamboyants, Esmé dévalant la cascade gelée ne risquait pas de passer inaperçue, même de loin. C'est Violette qui, la première, repéra cette boule de feu lancée à vive allure vers le bas de la pente. Elle abaissa le miroir à main à l'aide duquel, une nouvelle fois, elle venait de concentrer les rayons du soleil afin d'embraser deux ou trois Signaux neutres stratégiquement placés devant la fosse. Plissant le nez – cette fumée empestait –, elle se retourna vers Klaus et Quigley, qui mettaient en place une dernière planche carbonisée, afin de parfaire le camouflage du piège.

— Hé ! leur lança-t-elle, indiquant la comète. Regardez !

— Ce ne serait pas Esmé ? dit Klaus.

Violette cligna des yeux.

— On dirait bien. Il n'y a qu'elle, de toute manière, pour s'habiller comme ça.

— Vite ! dit Quigley. Cachons-nous !

Prudemment, ils contournèrent le piège et se tapirent derrière l'arche.

— Pas fâché de ne plus la voir, cette fosse, dit Klaus. Ce gros œil noir me rappelle trop l'horrible cage d'ascenseur du 667, boulevard Noir.

— Esmé en avait fait une trappe, expliqua Violette à Quigley. D'abord pour piéger Isadora et Duncan, et ensuite pour nous trois.

— Et maintenant, c'est nous qui allons la piéger, dit Quigley mal à l'aise. Pour combattre le feu par le feu.

— Essayons de ne pas en faire une idée fixe, dit Violette, dont les pensées tournaient en rond là-dessus depuis la première poignée de terre. L'important, c'est de récupérer Prunille.

— Dites ! s'écria Klaus soudain, désignant le fronton de l'arche. Vous aviez vu ça ?

Violette et Quigley levèrent le nez. Sur le fer forgé, côté bibliothèque, cinq mots étaient gravés.

— « Ici, le monde est paisible », lut Quigley à mi-voix. À votre avis, qu'est-ce que ça fait là ?

— On dirait une sorte de devise, chuchota Klaus. Ou une maxime, je ne sais pas trop quelle est la différence. À Prufrock – tu te souviens, Violette ? –, il y avait une inscription, aussi, au-dessus de l'entrée, afin que chacun s'en souvienne. Celle-ci est peut-être pour remplacer le panneau « Silence » ?

— Ces mots me rappellent quelque chose, murmura Violette. Mais je n'arrive pas à retrouver quoi.

— En tout cas, reprit Klaus, c'est vrai que le monde est paisible, ici. Même pas le plus petit moucheron des neiges.

— Tu sais bien qu'ils ont horreur de la moindre odeur de fumée, rappela Quigley.

— Exact, se souvint Klaus, risquant un coup d'œil hors de leur cachette pour voir où en était Esmé. (À mi-chemin de la pente, la fausse boule de feu fonçait droit vers le piège.) Et ça sent si fort le brûlé, par ici, qu'ils pourraient bien ne plus jamais revenir.

— Ce serait fâcheux, dit Quigley. D'après ce que j'ai lu, sans les moucherons des neiges, les saumons de la Frappée risquent de disparaître : c'est leur aliment de base. Faute de saumons, les aigles des monts Mainmorte seront menacés aussi. Finalement, cet incendie pourrait causer encore plus de dégâts que prévu.

— En tout cas, dit Klaus, quand nous marchions le long de la Frappée, il y avait des poissons qui toussaient, à cause des cendres. Tu te souviens, Violette ?

Mais Violette n'écoutait pas. Les yeux sur la mystérieuse inscription, elle interrogeait sa mémoire.

— C'est drôle, murmurait-elle. Ces mots, je ne crois pas les avoir lus, mais il me semble les entendre. Ici, le monde est paisible. (Elle ferma les yeux.) C'était il y a très longtemps. Avant ta naissance, je dirais, Klaus. Ou alors, quand tu étais tout petit.

— Peut-être que quelqu'un les a prononcés devant toi, suggéra Quigley.

Mais Violette avait beau se concentrer, ses souvenirs restaient aussi embrumés que les montagnes au lever du jour. Il lui semblait distinguer vaguement le visage de sa mère, et la silhouette de son père debout, dans un costume aussi sombre que les décombres du Q. G. Leurs lèvres s'agitaient, mais Violette ne parvenait pas à entendre ce qu'ils disaient. C'était comme du cinéma muet.

— Je ne sais pas, finit-elle par avouer. Je pense plutôt qu'on me les a chantés. Il me semble que nos parents ont dû chantonner ces mots, Ici le monde est paisible, voilà très, très longtemps. Mais je me demande bien ce qui me le fait dire. (Elle rouvrit les yeux.) Vous savez quoi ? Je crois que c'est mal, ce que nous sommes en train de faire.

— Mais nous combattons le feu par le feu, lui rappela Quigley. C'est ce que nous avons décidé hier soir, tu sais bien.

Violette acquiesça en silence et enfonça les mains dans ses poches. Une fois de plus, ses doigts retrouvèrent le couteau à pain. En pensée, elle revoyait la noirceur de la fosse, elle entendait le cri qu'Esmé allait pousser.

— Je sais, reprit-elle, mais... Mais si S.N.P.V. était vraiment, comme tu le dis, Quigley, un groupe de gens cherchant à faire triompher la vérité à tout prix, parions que ce n'était pas avec ce genre de méthodes. Si tout le monde combattait le feu par le feu, la terre entière partirait en fumée.

— Je vois ce que tu veux dire, murmura Quigley. Tu trouves qu'attirer quelqu'un dans une fosse s'accorde mal avec la devise : « Ici, le monde est paisible. » Trop brutal. Trop violent. Même si celui qu'on piège est quelqu'un de malfaisant.

— Moi, avoua Klaus pensif, en creusant cette fosse, je n'arrêtais pas de penser à un truc que j'ai lu, un jour, dans un livre écrit par un philosophe très connu ; j'ai oublié son nom. Il disait quelque chose comme : « Quiconque combat des monstres doit prendre garde, en ce combat, de ne pas devenir monstre lui-même. Et si tu regardes longtemps l'abîme, alors l'abîme regardera en toi. »

Il jeta un regard à sa sœur, puis à Esmé qui approchait, puis à la fosse bien camouflée.

— « Abîme », ajouta-t-il, c'est juste un mot un peu rare pour dire « gouffre profond » ou même « fosse ». Nous avons creusé un abîme pour qu'Esmé vienne se jeter dedans. C'est quelque chose qu'un monstre ferait.

— Il a écrit beaucoup, ce philosophe ? s'informa Quigley qui griffonnait la citation dans son calepin.

— Pas mal, oui, répondit Klaus. Je me demande si tu n'as pas raison, Violette. Un monstre, c'est comme le comte Olaf, par exemple. Avons-nous envie de lui ressembler ?

— Mais que faire d'autre ? insista Quigley. Prunille est captive d'Olaf, et Esmé arrive à toute allure. Si nous ne trouvons pas la solution là, maintenant, tout de suite, dans une poignée de secondes il va être trop tard.

À cet instant, un affreux crissement prévint les enfants que « trop tard » et « là, maintenant, tout de suite » étaient peut-être bien entrés en collision. Ils allongèrent le cou pour voir. La luge venait de traverser le trou d'eau gelé et de s'immobiliser, échouée sur la rive. Esmé en descendait, gloussant de triomphe. Ils la virent faire un pas dans leur direction – ou, plutôt, en direction de la fumée verte – puis s'arrêter, le temps de retrousser sa jupe colossale.

Mais Violette ne regardait plus. Elle venait d'aviser trois formes rondes, à quelques pas de là : les masques anti-moucherons que tous trois avaient enlevés, la veille, en arrivant au Q. G. Ils avaient cru ne plus en avoir besoin mais Violette, en un éclair, comprit qu'ils s'étaient trompés. Elle fonça sur les masques, se hâta d'en mettre un et, sous le regard médusé de Klaus et de Quigley, elle s'avança résolument hors de leur cachette.

— Esmé ! criait-elle. Arrêtez là ! N'avancez plus ! C'est un piège !

Esmé s'arrêta net, dévisageant Violette.

— Mais qui êtes-vous ? Vous croyez que ça se fait de sauter sur les gens sans prévenir ? En voilà des mœurs de malfrat !

— Je suis un volontaire, déclara Violette, contrefaisant sa voix.

— Volontaire ! ricana Esmé, un vilain rictus au coin de ses lèvres tartinées de vermillon. Des volontaires, ici, il n'y en a plus l'ombre d'un. Leur Q. G. a été rasé !

Alors Klaus à son tour se plaqua un masque sur le nez et s'avança à la rencontre de la perfide.

— Notre Q. G. est peut-être détruit, lança-t-il de sa plus grosse voix, mais S.N.P.V. est plus fort que jamais !

Clairement, Esmé hésitait entre frayeur et sarcasme.

— Fort ? ricana-t-elle, faisant un pas de plus dans sa robe crépitante. À vous voir, je dirais plutôt que vous ne faites pas le poids. Attendez que je vous...

— Nooon ! hurla Quigley qui surgissait masqué à son tour, attentif à contourner la fosse. Non ! n'approchez pas, Esmé. Un pas de plus, et vous allez tomber dans notre piège.

— Aha ! n'importe quoi, glapit Esmé, mais elle

s'immobilisa. C'est un truc, n'est-ce pas ? Un truc pour vous garder vos précieuses cigarettes!

— Ce ne sont pas des cigarettes, dit Klaus. Et nous ne sommes pas des menteurs. Sous les lattes de bois que vous voyez là, il y a une fosse, une fosse profonde.

Esmé les observa tous trois, soupçonneuse. Puis elle se pencha et du bout des doigts, avec circonspection – expression signifiant ici : « en prenant soin de ne pas piquer du nez dans la fosse » –, elle écarta une latte et ouvrit des yeux immenses.

— Mais mais mais... Vous aviez bel et bien tendu un piège ! Je ne serais jamais tombée dedans, remarquez. Mais je dois reconnaître que c'est un joli trou que vous avez creusé là.

— Nous voulions vous capturer, dit Violette. Pour vous échanger contre Prunille Baudelaire. Seulement voilà...

— Seulement voilà, ironisa Esmé, vous n'avez pas eu le cran d'aller jusqu'au bout. Toujours pareil. Vous autres, volontaires, vous n'avez jamais eu le courage d'aller au bout des choses pour le bien suprême.

— Faire dégringoler des gens dans des fosses n'est pas le bien suprême ! s'indigna Quigley. C'est de la perfidie, rien d'autre!

— Si vous étiez moins bêtes, vous comprendriez que bien suprême et perfidie reviennent à peu près au même.

— Il n'est pas bête! s'étrangla Violette. (Pour des injures venant de si bas, elle le savait, il ne rime à rien de s'échauffer; mais entendre insulter Quigley lui était tout simplement insupportable.) Même que c'est lui qui nous a menés ici, grâce à une carte dessinée de ses mains!

— Et il est cultivé! renchérit Klaus. Il a lu des tas de livres.

Esmé renversa la tête en arrière et rit à gorge déployée, sa robe crépitant à plaisir.

— Cultivé! se réjouit-elle avec un accent féroce. Des tas de livres! Voilà bien une chose qui ne vous mènera nulle part en ce monde! Voilà des années, j'étais censée passer l'été à lire Anna Karénine. J'ai eu vite fait de comprendre que ce roman stupide ne me serait d'aucune utilité dans la vie, alors je l'ai flanqué au feu! (Elle se pencha, ramassa un petit bout de bois carbonisé, le rejeta d'un air de mépris.) Ha! regardez-le, votre beau Q. G., chers volontaires! Il a fini comme mon bouquin. Et regardez-moi, moi! Fabuleuse. Éblouissante. Très tendance. Et vous... (Elle gloussa de nouveau.) Vous, si vous passiez un peu moins de temps dans vos livres, vous l'auriez déjà récupérée, votre mouflette.

— Oh! mais nous allons la récupérer, affirma Violette.

— Ah oui? On peut savoir comment?

— Je vais aller parler au comte Olaf, annonça Violette. Il me la rendra.

À nouveau, Esmé renversa la tête en arrière pour rire à son aise, mais le cœur n'y était plus.

— C'est-à-dire ? s'enquit-elle.

— Ce que j'ai dit. Rien de plus.

— Hmmm, fit Esmé, prise de soupçons. Voyons voir...

Comme pour mieux réfléchir, elle se mit à déambuler de long en large, sa robe craquant à chaque pas.

Klaus chuchota à l'oreille de sa sœur :

— À quoi tu joues ? Tu penses vraiment pouvoir récupérer Prunille avec des pourparlers ?

— Je n'en sais trop rien, souffla Violette. Mais c'est toujours mieux que de précipiter quelqu'un dans une fosse.

— Creuser cette fosse n'était peut-être pas la chose à faire, admit Quigley. Mais pas sûr que se jeter dans la gueule du loup soit la chose à faire non plus.

— De toute façon, remonter là-haut ne va pas être instantané, fit valoir Violette. Il nous viendra bien une idée, chemin faisant.

— Espérons, dit Klaus. Parce que, s'il ne nous en vient pas...

Il n'eut pas le temps d'achever sa phrase. Esmé frappa dans ses mains.

— Si vous tenez vraiment à parler à mon fiancé, je peux vous conduire auprès de lui. Et si vous étiez en plus haute altitude, vous sauriez qu'il n'est pas loin d'ici.

— On le sait, où il est, rétorqua Klaus. En haut de la pente. Juste au-dessus de la source de la Frappée.

— En ce cas, je suppose que vous savez aussi comment monter là-haut, dit Esmé, un peu incertaine. Une luge, ça remonte mal les pentes...

Quigley désigna Violette du menton.

— Elle va inventer quelque chose, vous allez voir.

Violette lui jeta un coup d'œil de remerciement. Rien de plus réconfortant que la confiance qu'autrui place en vous. Elle ferma les yeux derrière son masque.

Comment remonter là-haut, comment remonter Esmé ? En fait, Violette y avait déjà réfléchi. Ce n'était pas si sorcier, quoique pas si facile non plus. À nouveau, un souvenir d'enfance lui revenait, celui d'une comptine que, peut-être, on vous a chantée aussi.

Itsy Bitsy, la petite araignée,
À la gouttière avait voulu grimper ;
La pluie venue, la gouttière a craché
Plouf, patratas ! la petite araignée.

Dans la comptine, la petite araignée s'obstine. Sitôt le soleil de retour, elle reprend l'escalade. Mais chaque fois la pluie revient et chaque fois, plouf, patatras ! la petite araignée se retrouve en bas.

La comptine d'Itsy Bitsy, Violette l'avait toujours en tête une demi-heure plus tard, tandis qu'aux côtés des gars, comme elle équipés de crampons-fourchettes, elle jouait les chiens de traîneau, Esmé en remorque sur la luge. Les trois enfants s'étaient noué les brides autour de la taille et tiraient de toutes leurs forces.

L'exercice était exténuant, surtout après une nuit passée à creuser, et plus encore parce que, à chaque instant, l'attelage entier était menacé de redescendre, façon Itsy Bitsy l'araignée. Tout le long de la pente raide, la glace donnait de sérieux signes de faiblesse, sans doute sous les effets cumulés de vigoureux coups de fourchette, d'une descente en luge et du net radoucissement de l'air en ce matin de Printemps des fous. Quoi qu'il en soit, il était clair que la glace était aussi fatiguée qu'eux et ne tiendrait plus très longtemps.

— Mush ! criait Esmé sur la luge. Allez ! Tirez ! Mush ! Mush !

Elle avait dû voir des films sur les courses de traîneaux, et adorer ce cri dont on encourage les chiens attelés. Mais à vrai dire ses encouragements ne facilitaient pas la grimpette.

— Si elle voulait bien se taire, un peu ! marmonna Violette derrière son masque, pointant en avant son chandelier teste-glace.

Un petit glaçon se détacha et s'en alla dévaler la pente en direction du Q. G. Violette le suivit des yeux et ravala un soupir. Ce Q. G., jamais elle ne le verrait dans toute sa gloire, aucun d'eux ne le verrait jamais. Jamais elle ne connaîtrait le bonheur d'émincer des oignons en devisant avec des confrères ni de contempler, par la baie vitrée de la cuisine, la cascade dévalant la pente, le trou d'eau à son pied, les deux bras de la Frappée s'élançant impétueusement vers leur destin, chacun de son côté. Jamais Klaus ne connaîtrait le bonheur de passer des heures dans la grande bibliothèque, ni d'y découvrir tous les secrets de S.N.P.V. du fond d'un grand fauteuil moelleux, les orteils à l'aise sur un repose-pieds. Jamais Prunille ne pratiquerait l'art de se parer de fausses dents au centre de déguisement, ni ne rongerait, à l'heure du thé, les délicieux biscuits aux amandes confectionnés suivant la recette de ma grand-mère. Jamais Violette n'aurait la joie d'étudier la chimie appliquée dans l'un des six laboratoires, ni Klaus celle de faire des agrès au gymnase, ni Prunille celle de préparer pour les maîtres-nageurs de la piscine des coupes glacées praline-chantilly avec des tas de noisettes grillées. Et aucun des trois enfants Baudelaire ne rencontrerait jamais les grandes figures du mouvement S.N.P.V. les plus appréciées de tous, telles l'instructeur en mécanique M. Kornbluth, le Dr Ignace Amberlu que tout le monde appelait Ike, ou celui qui eut le courage de jeter le sucrier par la fenêtre afin de lui éviter le brasier, puis le regarda s'éloigner, flottant entre deux eaux le long d'un bras de la Frappée. Non, aucun des trois enfants ne connaîtrait rien de tout cela, pas plus que je ne reverrai un jour ma Beatrice bien-aimée, pas plus que je ne pourrai récupérer ce cornichon solitaire du frigo où je l'avais laissé, ni le placer enfin, comme prévu, à l'intérieur d'un sandwich codé d'une importance capitale.

Bien évidemment, Violette n'avait pas la moindre idée de ce qu'elle manquait ; mais la vue des décombres lui inspirait l'amer sentiment que l'expédition dans les monts Mainmorte n'avait finalement servi à rien. Comme tant d'autres de leurs tentatives, celle-ci rappelait fortement le célèbre grimper de gouttière par Itsy Bitsy l'araignée…

— Mush ! Mush ! répétait Esmé avec un gloussement cruel.

— S'il vous plaît, Esmé, arrêtez de dire ça ! lança Violette par-dessus son épaule. Vous ne faites que nous ralentir !

— Ralentir n'est peut-être pas plus mal, chuchota Klaus à son aînée. Ça nous laisse du

temps pour réfléchir à ce qu'on va bien pouvoir
dire à Olaf.

— On pourrait lui faire croire qu'il est assiégé,
souffla Quigley. Cerné de volontaires de toutes
parts, prêts à l'arrêter s'il ne rend pas Prunille.

— Jamais il n'avalera ça, dit Violette en plan-
tant ses crampons-fourchettes dans un pan de glace
qui lui semblait sûr. Tu oublies le coup d'œil qu'on a
depuis là-haut. Il verra bien qu'il n'y a pas un chat
à des kilomètres à la ronde.

— Il faut pourtant trouver quelque chose,
murmura Klaus. Qu'on ne soit pas venus dans les
monts Mainmorte pour rien.

— Pour rien, certainement pas, protesta
Quigley. D'abord, nous nous sommes rencontrés,
vous et moi. Ensuite, nous avons éclairci un ou
deux des mystères qui nous tracassaient, même si,
bon, d'accord, d'autres les ont remplacés.

— C'est vrai, reconnut Violette. Mais la question
demeure : comment damer le pion aux monstres qui
sont là-haut, comment leur reprendre Prunille ?

La question était grave, et aucun d'eux n'avait la
réponse. Aussi, plutôt que de se perdre en conjec-
tures – expression signifiant ici : « gaspiller de
l'énergie à discuter du problème » –, les trois enfants
choisirent de se taire et de concentrer leur énergie
à gravir la pente escarpée, halant derrière eux Esmé
en reine fainéante.

Enfin ils atteignirent le sommet. Se hisser par-dessus la corniche ne fut pas très difficile, mais la faire franchir à la luge se révéla plus délicat. Enfin, tirant comme des bœufs sur les brides, ils parvinrent à faire passer le lourd traîneau par-dessus l'arête. Hors d'haleine, ils le regardèrent se poser à l'horizontale, mais c'est alors que, derrière eux, une voix familière les fit sursauter.

— Qui va là?

Ils se retournèrent. Devant sa longue auto noire se tenait le comte Olaf, flanqué des deux sinistres visiteurs. Aucun des trois n'avait l'air avenant.

— Nous pensions vous voir arriver par le sentier, grinça l'homme à la voix rouillée. Sûrement pas par la cascade.

— Non, vous faites erreur! s'empressa de rectifier Esmé. Ce ne sont pas les gens que nous attendons. Ce sont trois volontaires que j'ai trouvés en bas.

— Volontaires? s'écria la femme à la voix caverneuse, quoique d'une voix moins caverneuse qu'à l'accoutumée.

Les trois scélérats se turent. Sur leurs traits se lisaient les mêmes expressions ambiguës que sur ceux d'Esmé à la vue du trio, en bas : un mélange d'alarme et d'agressivité, comme s'ils balançaient entre inquiétude et mépris. Bientôt le reste de la bande les rejoignit, l'homme aux crochets d'abord, puis les deux dames poudrées et les trois anciens monstres de foire, tous curieux de voir ce qui rendait muet le patron.

Klaus et Violette, malgré leur fatigue, dénouèrent les brides autour de leur taille et se plantèrent face à l'ennemi aux côtés de Quigley. Aucun des trois n'en menait large, mais le gros avantage d'un masque est qu'il vous donne de l'assurance, et les enfants en profitèrent pour parler sans détour.

— Nous avions tendu un piège pour capturer votre fiancée, Olaf, annonça Violette, contrefaisant sa voix. Mais nous n'avons pas voulu devenir des monstres comme vous.

— Mensonges ! s'écria Esmé. Je les ai trouvés en pleine orgie de cigarettes, alors je les ai capturés et je les ai forcés à me ramener ici comme de vulgaires chiens de traîneau.

Klaus fit la sourde oreille.

— Nous sommes venus chercher Prunille Baudelaire. Nous ne repartirons pas sans elle.

Le comte Olaf fronça le sourcil et braqua sur eux ses petits yeux luisants, comme si son regard aigu pouvait transpercer les masques.

— Et qu'est-ce qui vous fait croire que je vais vous la rendre ? La simple raison que vous me la demandez ?

Violette se concentra de toutes ses forces. Éperdument, elle cherchait des yeux une source d'inspiration, un détail pouvant lui souffler que faire ou que dire. À l'évidence, Olaf se croyait face à d'authentiques membres de S.N.P.V. Violette avait l'intuition que, si elle trouvait les mots pour frapper juste, elle devait pouvoir le vaincre à la loyale, sans user de vils procédés.

Mais les mots pour frapper juste refusaient de se présenter. Et ni Klaus ni Quigley, manifestement, n'étaient plus inspirés qu'elle. Dans le silence qui s'ensuivit, troublé seulement par le pleur des vents qui balayaient la montagne, Violette enfonça les mains dans ses poches. Une fois de plus, ses doigts tombèrent sur le manche du couteau à pain. L'idée lui vint brusquement que prendre Esmé au piège n'avait finalement peut-être pas été une si mauvaise idée...

Ne voyant pas venir de réponse, le comte Olaf se détendit. Son sourcil se défroissa, un méchant sourire lui vint aux lèvres. Mais, juste comme il ouvrait la bouche pour parler, Violette repéra trois choses qui lui redonnèrent espoir.

Les deux premières lui étaient familières, elle les avait seulement oubliées : c'étaient les deux rectangles, l'un violet foncé, l'autre bleu marine, dépassant des poches des garçons : les précieux calepins contenant toutes les notes glanées sur le site du Q. G. C'était rassurant de songer au trésor d'information amassé là.

La troisième était la vaisselle étalée sur le rocher plat. Prunille avait tout lavé à la neige fondante et tout mis à sécher au soleil du Printemps des fous. Il y avait là, Violette le voyait, des piles d'assiettes ornées de l'œil familier, plus un bataillon de tasses avec leurs soucoupes et un petit pot à crème. C'était un joli service à thé, mais une pièce manquait clairement et Violette, notant son absence, esquissa un sourire derrière son masque.

Elle se tourna vers le comte Olaf.

— Vous nous rendrez Prunille, dit-elle, parce que nous savons où est le sucrier.

CHAPITRE
XIII

Le comte Olaf entrouvrit la bouche et son sourcil unique s'envola. Jamais, jamais Violette et Klaus n'avaient vu ses yeux luire d'un pareil éclat.

— Où est-il? siffla-t-il. Il me le faut!

Violette fit non de la tête, se félicitant d'être masquée, et elle répliqua sans faiblir:

— Commencez par nous rendre Prunille Baudelaire.

— Jamais! Sans ce vermisseau, aucune chance d'empocher la fortune Baudelaire. Donnez-moi ce sucrier sur-le-champ, ou je vous précipite tous trois dans le ravin!

— Si vous nous précipitez dans le ravin, dit Klaus, vous ne saurez jamais où est le sucrier.

Il se garda de préciser qu'aucun d'eux ne savait où se trouvait le sucrier, ni même pourquoi diable il importait tant.

Esmé fit un pas vers son bien-aimé, avec un crépitement alarmant.

— Il nous faut le sucrier, dit-elle d'une voix féroce. Laisse tomber la mouflette. On trouvera bien une autre combine pour le toucher, cet héritage.

— Mais cet héritage est le bien suprême, soutint Olaf. Pas question de lâcher la mouflette.

Esmé se durcit.

— Le bien suprême, c'est le sucrier.

— L'héritage.

— Le sucrier!

— L'héritage!

— Le sucrier!

— A-ssez! cingla le sinistre visiteur. Notre plan de recrutement entre en action d'un moment à l'autre. Vous n'allez pas vous chicaner jusqu'à la nuit!

— Ça n'aurait pas duré jusqu'à la nuit, plaida le comte Olaf. En général, au bout d'une heure ou d...

— On vous a dit a-ssez! trancha la sinistre visiteuse. Qu'on amène ici la petite!

— Amenez la petite ici tout de suite! ordonna Olaf aux deux dames poudrées. Elle est dans sa cocotte, en train de faire un gros dodo.

Les dames poudrées soupirèrent, mais elles se dirigèrent vers la cocotte en fonte et l'empoignèrent chacune par une anse, comme deux cuisinières sortant un plat du four plutôt que comme deux criminelles soulevant un otage.

Pendant ce temps, avec un synchronisme parfait, les sinistres visiteurs plongeaient la main dans leur col et chacun en ressortait un objet luisant pendu à son cou. Klaus et Violette retinrent leur souffle. Des sifflets, c'étaient des sifflets argentés, pareils à celui qu'Olaf, déguisé en prof de gym, avait arboré au collège Prufrock!

— Ouvrez bien les yeux, les volontaires, dit le visiteur de sa voix rouillée.

Et tous deux donnèrent un long coup de sifflet. Aussitôt, les trois enfants entendirent un immense bruissement au-dessus de leurs têtes, à croire que les vents des monts Mainmorte étaient pris d'effroi eux aussi. Le jour s'assombrit d'un seul coup, comme si le soleil à son tour avait mis un masque. Violette, Klaus et Quigley levèrent le nez et ce qu'ils virent était plus effroyable encore qu'un brusque affolement des vents ou qu'un soleil masqué.

Au-dessus du mont Augur, le ciel s'était empli d'aigles en vol. On aurait dit un essaim, des centaines et des centaines d'aigles tournoyant en cercles muets au-dessus des sinistres visiteurs. Sans doute avaient-ils été perchés non loin de là pour accourir aussi vite, et dressés à ne pas émettre un son pour voler ainsi sans un cri. Certains d'entre eux semblaient très vieux, suffisamment pour avoir déjà volé de leurs propres ailes du temps où les parents Baudelaire étaient enfants. D'autres semblaient bien jeunes, au contraire, quoique déjà prêts à obéir au coup de sifflet. Et tous avaient l'air épuisés, tous laissant à penser qu'ils auraient donné cher pour être ailleurs qu'au-dessus du mont Augur, à obéir aux ordres de deux tristes représentants du genre humain.

La sinistre visiteuse se tourna vers les enfants.

— Voyez ces créatures, volontaires ! Lors du grand schisme, c'est peut-être vous qui avez réussi à garder la haute main sur les corbeaux voyageurs, à garder la haute main sur les reptiles apprivoisés...

— Les reptiles ? Même plus ! intervint Olaf. Tous sauf un ont ét...

— On ne coupe pas la parole ! coupa la sinistre visiteuse. Bref, vous avez peut-être encore les corbeaux voyageurs, mais c'est nous qui détenons les fauves les plus puissants de la terre, dont nous faisons tout ce que nous voulons – j'ai nommé les lions et les aigles !

— Les aigles ne sont pas des fauves ! ne put se retenir de corriger Klaus. Ce sont des oiseaux !

— Ce sont des esclaves, rectifia le sinistre visiteur.

Là-dessus, sa compagne et lui tirèrent chacun de son parka un long fouet peu engageant – du même modèle, très exactement, que celui dont s'était servi le comte Olaf pour mater les malheureux lions de Caligari Folies – et chacun d'eux, en ricanant, le fit claquer d'un coup sec. Aussitôt, quatre aigles se laissèrent tomber comme des pierres pour se poser sur les épaulettes rembourrées qui donnaient aux deux visiteurs leur carrure de déménageurs.

— Ces créatures nous obéissent au doigt et à l'œil, reprit la visiteuse de sa voix caverneuse, et aujourd'hui elles vont nous offrir notre plus grand triomphe à ce jour...

D'un vaste geste circulaire, elle désigna le sol alentour, et les enfants avisèrent alors un détail qui leur avait échappé : un immense filet s'étalait dans la neige éparse, recouvrant presque toute la partie plane du sommet, pour ainsi dire jusqu'à leurs pieds.

— À mon signal, poursuivit-elle, nos aigles soulèveront ce filet, emportant dans les airs un groupe de jeunes personnes qui croient venir ici célébrer le Printemps des fous.

— Les scouts des neiges, articula Violette sous le choc.

— Tout juste, et nous allons les capturer jus-qu'au dernier, ces jeunes blancs-becs en uniforme ! fanfaronna le visiteur de sa voix rouillée. Et chacun d'eux se verra proposer cette offre exceptionnelle : se joindre à notre groupe.

— Aucun n'acceptera, prédit Klaus.

— Bien sûr que si, prédit la visiteuse de sa voix caverneuse, ils se joindront à nous. Tous. Soit comme recrues, de leur plein gré, soit engagés de force. Et une chose encore est certaine : les maisons de leurs parents partiront en fumée, sans exception aucune.

Les enfants frémirent. Même le comte Olaf, curieusement, semblait un peu mal à l'aise.

— Oh ! ce n'est pas par méchanceté gratuite, s'empressa-t-il de préciser. Simplement, c'est le seul moyen de mettre la main sur toutes ces belles fortunes.

— Absolument, confirma Esmé avec un petit rire nerveux. À nous la fortune Spats, la fortune Kornbluth, la fortune Winnipeg et bien d'autres. Je pourrai m'offrir le dernier étage panoramique de tous les immeubles de grand standing qui n'auront pas brûlé !

— Quant à vous, les volontaires, reprit le sinistre visiteur, dites-nous où se trouve le sucrier, et vous pourrez reprendre votre petite larve, si vous y tenez tant. À moins... à moins que vous ne décidiez de vous joindre à nous ?

— Non merci, déclina Quigley. Nous ne sommes pas intéressés.

— Que vous soyez intéressés ou non n'a rien à voir avec la question, déclara la sinistre visiteuse. Soyez réalistes. Nous sommes plus nombreux que vous. Et, partout où nous allons, nous embauchons des camarades prêts à nous donner un coup de main.

— Mais nous aussi, nous en avons, des camarades ! assura Violette avec aplomb. Dès que nous aurons récupéré la petite Baudelaire, nous irons les retrouver dans le dernier lieu sûr, et nous leur révélerons tous vos projets infâ...

— Trop tard, les volontaires, trop tard ! coupa le comte Olaf, triomphant. Mes nouvelles recrues, les voici !

Avec un odieux glapissement, il désigna le chemin pierreux qui débouchait sur le sommet. Là venaient d'apparaître les scouts des neiges, en rang, deux par deux, pareils à des œufs dans leur boîte plutôt qu'à de joyeux randonneurs. Ayant apparemment noté l'absence de moucherons dans le secteur, ils avaient retiré leurs masques, si bien que les jeunes Baudelaire eurent tôt fait de repérer Carmelita Spats, qui marchait en tête d'une colonne avec un sourire satisfait et un diadème sur le front – diadème signifiant ici : « petite couronne en toc attribuée à une peste notoire sans aucune justification connue ». En tête de la colonne jumelle avançait Bruce, le mât enrubanné dans une main, son éternel cigare éteint dans l'autre. Bizarrement, ses traits rappelaient quelque chose à Violette et Klaus, mais ni l'un ni l'autre n'avaient le temps de s'attarder sur ce détail.

— Dites ! Qu'est-ce qu'ils fabriquent ici, tous ces pifgalettes ? éclata Carmelita outragée. Je suis la reine du Printemps des fous, et je vous ordonne de déguerpir !

— Allons, allons, Carmelita ! lui dit Bruce. Je parie que ces gens sont également ici pour célébrer le Printemps des fous. Montrons-nous accommodants. Comme toujours. Montrons-nous accommodants, bien élevés, conquérants, décontractés...

Toute la troupe s'était lancée dans la récitation de l'absurde devise, mais Klaus et Violette n'attendirent pas la fin de l'alphabet.

— Bruce ! coupa Violette, s'il vous plaît... Ces gens ne sont pas là pour fêter le Printemps des fous. Ils sont là pour... pour kidnapper tous les scouts des neiges !

— Kidnapper ? répéta Bruce avec un bon rire, comme si Violette plaisantait.

— Oui, cria Klaus. C'est un piège ! Vite, faites demi-tour, repartez !

— Je vous en prie, intervint Olaf, ne prêtez aucune attention à ces hurluberlus masqués. L'air des montagnes leur a fait perdre la tête. Avancez, avancez donc, que nous puissions tous faire la fête !

— Bien volontiers, répondit Bruce. Car nous sommes accommodants, bien él...

— Non ! cria Violette. Vous ne voyez donc pas ce grand filet, par terre ? Vous ne voyez pas les aigles dans le ciel ?

— Le filet ? C'est pour décorer ! assura Esmé. Et les aigles apportent la touche de vie sauvage.

— S'il vous plaît ! implorait Klaus. Écoutez-nous !

Carmelita les foudroya du regard et rajusta son diadème.

— Écouter des pifgalettes, et puis quoi ? Vous êtes tellement débiles que vous avez gardé vos masques. Il n'y a pas de moucherons, vous n'avez pas remarqué ?

Violette et Klaus échangèrent un regard grillagé. Sur ce point, Carmelita n'avait pas tout à fait tort. Et pour convaincre quelqu'un, sauf exception, il vaut mieux lui parler à visage découvert. Se laisser identifier par Olaf et sa clique n'était sans doute pas très prudent, mais les scouts des neiges étaient en danger, c'était plus important encore.

Les deux enfants hochèrent la tête et se comprirent mutuellement. Puis ils se tournèrent vers Quigley et lui aussi faisait oui, solennel. Alors, d'un commun accord, les trois enfants retirèrent leur masque.

Le comte Olaf en fut béat de stupeur.

— Mais... mais tu es morte ! dit-il à l'aînée des Baudelaire, sachant pertinemment qu'il proférait une insanité. Tu as fini au fond d'un ravin !

Esmé écarquillait les yeux sur Klaus, éberluée.

— Mais toi aussi, tu es mort ! Écrasé avec la roulotte !

— Et... et toi, tu es un de ces jumeaux ! dit Olaf à Quigley. Et tu...

— Je ne suis pas un jumeau, l'informa Quigley. Et je suis bien vivant.

Alors Olaf s'esclaffa :

— En tout cas, tu n'es pas un volontaire ! Aucun de vous n'est un S.N.P.V. ! Vous n'êtes que trois orphelins à la gomme !

— Donc, conclut la visiteuse de sa voix la plus caverneuse, nous n'avons plus à nous soucier de cette mouflette à dents de castor.

— Très juste, s'écria Olaf, et il se tourna vers les dames poudrées. Jetez-la donc dans le ravin !

Violette et Klaus hurlèrent d'horreur. Les deux dames poudrées, chacune tenant une anse, baissèrent les yeux sur la cocotte en fonte, puis elles se consultèrent du regard en silence. Après quoi, lentement, elles se tournèrent vers le comte Olaf, mais aucune des deux ne bougea d'un pouce.

— Vous êtes sourdes ? J'ai dit : jetez ce bébé dans le ravin !

— Non, répondit platement l'une des dames

poudrées, et les aînés Baudelaire retinrent leur souffle.

— Non ? répéta Esmé, estomaquée. Comment ça, non ?

— Non, c'est-à-dire non, répondit celle qui avait parlé, et sa compagne confirma d'un hochement de tête.

Elles déposèrent de concert la cocotte au sol. À la surprise de Violette et Klaus, le récipient ne frémit même pas. Sans doute Prunille était-elle trop terrorisée pour chercher seulement à sortir.

— Non, déclara la deuxième dame poudrée. Nous ne voulons plus participer à vos combines, Olaf, voilà tout. Au début, combattre le feu par le feu, c'était drôle, peut-être. Mais c'est fini. Nous avons vu bien assez de flammes et de fumée pour le restant de nos jours.

— D'ailleurs, nous ne croyons plus du tout que ce soit pure coïncidence si notre maison a brûlé de la cave au grenier, reprit la première. Nous avons perdu un être cher dans cet incendie, Olaf.

Le comte pointa vers elles un index osseux.

— Vous allez m'obéir, oui ? Exécutez cet ordre, et que ça saute !

Mais ses deux anciennes complices firent non de la tête, sans équivoque, et, tournant les talons, elles se mirent en marche côte à côte en direction du sentier.

Sur le sommet en forme de table, un silence absolu se fit. Sans un mot, sans un geste, chacun regarda les deux dames poudrées passer devant le comte Olaf, devant Esmé d'Eschemizerre, devant les sinistres visiteurs et les aigles perchés sur leurs épaules, devant les aînés Baudelaire et devant Quigley Beauxdraps, devant l'homme aux crochets, devant les trois anciens monstres de foire, devant Bruce et Carmelita Spats et toute la troupe des scouts des neiges, puis s'engager sur le sentier pierreux pour entreprendre la longue descente depuis le sommet du mont Augur.

Alors le comte Olaf poussa un horrible feulement, et il frappa du pied sur le filet posé au sol.

— Ah ! vous croyez pouvoir me laisser tomber comme ça, espèces de greluches enfarinées ! Oh ! mais je vous retrouverai ! Je vous ferai disparaître de la surface de la terre ! De mes propres mains, je le ferai ! Je peux tout faire de mes mains, pas besoin d'aide ! Même jeter cette petite dans le vide, je peux le faire moi-même!

Avec un gloussement satanique, il saisit la cocotte en fonte et, chancelant de rage, s'avança vers le ravin, côté cascade.

— Non ! hurla Violette.

— Prunille ! hurla Klaus.

— Dites-lui adieu, à votre petite sœur, enfants Baudelaire ! jubilait Olaf, riant de toutes ses dents jaunes. Adieu, bébé ! Ava, ava!

— Suis pas un bébé ! protesta une petite voix décidée, du côté de la longue auto noire.

Et ses aînés, aussi soulagés que fiers, virent Prunille surgir de derrière le pneu crevé et courir se jeter dans leurs bras. Klaus dut essuyer ses lunettes.

— Suis pas un bébé ! répéta la petite à l'intention d'Olaf.

— Mais que... comment est-ce possible ? bredouillait le comte ébahi.

Alors il souleva le couvercle, et vit immédiatement comment c'était possible. Le contenu de la cocotte avait le format de Prunille, il avait le poids de Prunille – à quelques grammes près. Mais ce n'était pas Prunille, ce n'était pas même un bébé.

— Babaganoush ! résuma Prunille. Autrement dit : « En concoctant ce projet d'évasion à base d'aubergine, j'étais loin de me douter qu'il serait si utile ! »

Mais personne ne traduisit, car le légume, sautant de la cocotte, alla choir avec un gros plop ! sur le pied du comte Olaf.

— Saleté ! pesta le bandit. Tout va de travers pour moi aujourd'hui. Faire ma toilette m'a porté malheur, je le vois bien !

— Ne vous mettez pas dans un tel état, patron, lui dit Bretzella, ondulant de compassion. Prunille va nous cuisiner quelque chose d'exquis avec cette aubergine, j'en suis sûre.

— C'est vrai, ça, renchérit l'homme aux crochets. Elle est en train de devenir une sacrée cuisinière, la mouflette. Les rouleaux de Printemps des fous étaient un régal, et le lox était fameux, aussi.

— Un brin d'aneth ne l'aurait pas gâté, dit Féval. Pour ma part...

Mais les enfants ne suivaient plus cette conversation futile. Ils s'étaient tournés vers les scouts des neiges.

Violette prit Bruce à témoin :

— Alors, vous nous croyez, maintenant ? Vous voyez de quoi cet homme est capable ?

— Tu ne te souviens pas de nous ? dit Klaus à Carmelita. Au collège, le comte Olaf avait mis sur pied une combine diabolique. Et là, c'est exactement pareil !

— Si je me souviens de vous ? s'écria Carmelita. Vous êtes ces pifgalettes qui ont valu tant d'ennuis à ce pauvre directeur adjoint. Et maintenant, vous essayez de gâcher le jour où je suis couronnée reine ! Passe-moi ce mât de Printemps, oncle Bruce !

— Allons, allons, Carmelita, protesta Bruce mollement. Nous sommes accom...

Mais déjà sa nièce lui arrachait des mains le mât enrubanné et, d'un pas rageur, elle traversait le filet en direction de la source gelée.

Les mains crispées sur leur fouet, sifflet aux lèvres, les deux sinistres visiteurs surveillaient la scène d'un œil d'aigle, attendant manifestement de voir le restant des scouts s'avancer sur le filet.

— Je me couronne reine du Printemps des fous! déclara bien haut Carmelita en approchant de la falaise.

Avec un petit rire conquérant, elle écarta de son chemin Klaus et Violette Baudelaire, et de toutes ses forces, à deux mains, elle alla planter le pied du mât dans la glace.

Un craquement se fit entendre, sinistre, prolongé, de plus en plus sonore. Klaus et Violette se penchèrent vers la pente. Du haut en bas du torrent gelé, une longue fêlure se dessinait, elle se propageait sans hâte en direction du trou d'eau et des deux bras pris en glace.

Le spectacle avait quelque chose d'horrifiant. Ce n'était bien sûr que de la glace en train de se fissurer, mais on aurait juré que la montagne elle-même s'apprêtait à se scinder en deux – que bientôt un schisme géant allait éventrer la planète.

— Eh! qu'est-ce que vous regardez comme ça, les pifgalettes? coassa Carmelita qui remontait déjà. Maintenant, tout le monde est censé danser en mon honneur!

— C'est vrai, ça! dit le comte Olaf. Si vous vous approchiez, tous, pour danser joyeusement en l'honneur de cette charmante enfant?

— Bonne idée! s'écria Otto, entraînant ses

collègues sur le filet posé au sol. Après tout, j'ai deux pieds aussi doués l'un que l'autre!

— Et nous devons nous montrer accommodants, renchérit l'homme aux crochets. C'est bien ce que vous nous avez dit, oncle Bruce?

— Tout à fait, confirma Bruce, manifestement soulagé de voir les querelles s'apaiser et les choses reprendre leur cours. Allons, les scouts des neiges, on récite la devise tout en dansant autour du mât!

Les scouts lancèrent des hourras et suivirent Bruce au milieu du filet, jurant une fois de plus de se montrer accommodants, bien élevés, conquérants, décontractés, emblématiques, flegmatiques, galactiques, humains, inoffensifs, juvéniles, ketchupophiles, léonins, moutonniers, nonchalants, ordonnés, programmables, qualifiés, raisonnables, sophistiqués, timides, ultrasensibles, valeureux, waterproof, xylophones, yin-et-yang et zippés, soir et matin et jour et nuit, à jamais et pour la vie.

Il n'y a rien de répréhensible, évidemment, à se forger une devise, ni à mettre en mots ce que l'on estime important dans la vie, afin de ne jamais le perdre de vue tout en faisant son chemin sur cette planète. Si, par exemple, vous êtes d'avis qu'il y a plutôt moins de gens méchants parmi ceux qui lisent beaucoup, et qu'un monde peuplé de gens occupés à lire tranquillement vaut mieux qu'un monde empli de schismes, de sirènes hurlantes et autres nuisances, rien ne vous empêche de vous dire, chaque fois que vous franchissez le seuil d'une bibliothèque, «Ici, le monde est paisible», et d'en faire une sorte de devise assurant que la lecture est à vos yeux un bien suprême. Si vous êtes au contraire d'avis que les gens qui aiment lire ne méritent que d'être entourés de flammes et dépouillés de leurs biens, vous adopterez peut-être pour devise : «Combattons le feu par le feu», manière comme une autre de déguiser en maxime vos penchants incendiaires.

Mais, quels que soient les mots que vous choisissez pour définir votre ligne de conduite dans la vie, il y a deux règles à observer absolument.

La première est que votre devise ait du sens – autrement dit, si le mot xylophone y figure, que ce soit bien parce que cet instrument de musique à percussion est d'une importance primordiale pour vous, et non parce que vous n'avez rien trouvé de mieux qui commence par la lettre «x».

La deuxième règle est de faire court, ce qui vous éviterait de vous faire prendre au piège si jamais un groupe de malfrats vous attirait au milieu d'un filet qu'un vol d'aigles s'apprêtait à soulever sur un coup de sifflet.

La devise alphabétique des scouts des neiges, hélas, n'obéissait à aucune de ces règles. Le temps pour les malheureux de s'engager à être «xylophones», et l'homme à barbe mais sans cheveux fit claquer son fouet un grand coup. À ce signal, les aigles posés sur ses épaules et celles de sa compagne battirent puissamment des ailes et, enfonçant leurs serres dans les épaulettes rembourrées, ils soulevèrent à la verticale les deux sinistres visiteurs. Le temps pour les scouts de prendre une grande aspiration afin d'attaquer le bruit du blizzard, et la femme à cheveux mais sans barbe lança un impérieux coup de sifflet qui rappela aux enfants Baudelaire l'époque où Olaf prétendait les entraîner à la course.

Pétrifiés aux côtés de Quigley, les trois enfants virent les aigles se laisser tomber du ciel en masse, refermer simultanément leurs serres sur tout le pourtour du filet, puis, leurs ailes tremblant d'effort, soulever dans les airs le filet chargé, un peu comme on débarrasserait la table après un repas en saisissant la nappe par les coins.

Très probablement, si vous optiez pour cette façon de desservir la table, vous vous feriez envoyer dans votre chambre ou chasser du restaurant à coups de balai. En l'occurrence, les effets de la manœuvre ne furent guère plus heureux. Deux secondes plus tard, toute l'escouade des scouts se retrouva en baluchon, pêle-mêle avec la petite bande d'Olaf, et le filet avait tout d'un chalut frétillant de poissons. La seule à échapper au recrutement – en plus du quatuor Baudelaire-Beauxdraps, bien sûr

– fut Carmelita Spats, plantée entre le comte Olaf et sa bien-aimée

— Mais... Mais que se passe-t-il ? criait Bruce au comte Olaf à travers les mailles du filet. Qu'avez-vous fait ?

— Moi ? Gagné la partie. Une fois de plus ! fanfaronna Olaf à plein gosier. Souvenez-vous, il y a quelque temps, cette jolie collection de reptiles : c'est moi qui vous l'ai soufflée pour mon usage personnel !

Les enfants échangèrent un regard. La villa de l'oncle Monty, juste avant leur départ : voilà où ils avaient rencontré Bruce !

— Et maintenant, poursuivait le comte, je viens de vous souffler une collection de petits vauriens !

— Qu'est-ce qu'on va devenir ? s'inquiéta une jeune voix, quelque part au milieu du filet.

— M'est bien égal, grogna une autre, apparemment déjà atteinte du syndrome de Stockholm. Tous les ans, on grimpe sur le mont Augur, tous les ans, on fait la même chose. Au moins, cette année, ça change un peu !

— Mais pourquoi me recruter, moi, patron ? demanda une voix familière, et les enfants virent un crochet s'agiter frénétiquement à travers une maille de filet. Je travaille déjà pour vous !

— Pas de panique, Crochu ! lui lança Esmé avec sa délicatesse habituelle. C'est pour le bien suprême !

Le sinistre visiteur, là-haut, fit claquer son fouet derechef.

— Mush! cria sa voix rouillée aux aigles de traîneau.

Alors les rapaces, à grands cris rauques, se mirent à dériver de biais, quittant l'aplomb du mont Augur pour s'éloigner à travers le ciel.

— Olaf! lança la voix caverneuse au-dessus des têtes. Tu arraches à ces orphelins où aller chercher le sucrier, d'accord? Et rendez-vous au dernier lieu sûr!

— Oui! approuva la voix de poulie. Et après ça, avec ces aigles, plus qu'à rattraper cette grappe de ballons volants à air chaud!

Les quatre enfants échangèrent des regards horrifiés. Grappe de ballons volants à air chaud? Il s'agissait à coup sûr de la maison volante bricolée par Hector à la Société des noirs protégés de la volière, et dans laquelle Isadora et Duncan avaient fui!

— Nous combattrons le feu par le feu! conclut la voix caverneuse, effilochée par le vent.

Le comte Olaf marmonna quelque chose et tourna vers les enfants son sourire chafouin.

— Et maintenant, voyons voir, chers petits. Pour empocher votre fortune, un seul de vous trois me suffit. Lequel vais-je donc choisir?

— Choix cornélien, gloussa Esmé. D'un côté, se faire servir par la mouflette n'était finalement pas si désagréable. Mais ça pourrait être assez drôle, aussi, d'envoyer valser les lunettes de Klaus et de le regarder se cogner partout.

— Ce qu'il y a de bien avec Violette, fit remarquer Carmelita tandis que les quatre enfants, d'instinct, reculaient d'un pas vers la pente, c'est qu'elle a les cheveux longs. Vous pourriez les tirer tout le temps, et les attacher n'importe où pour vous amuser.

— Voilà deux excellentes idées, ma foi, la complimenta Olaf. J'avais oublié à quel point tu es une enfant adorable. Si tu te joignais à nous ?

— Me joindre à vous ?

— Oui, faire partie de notre équipe, dit Esmé. Regarde ma robe. Si tu te joins à nous, je veillerai à ce que tu sois toujours très, très tendance.

Carmelita parut songeuse. Son regard allait des quatre enfants aux deux hypocrites qui lui souriaient, enjôleurs.

Les enfants Baudelaire retinrent leur souffle. Certes, ils n'avaient pas oublié quel monstre avait été Carmelita au collège ; mais l'idée qu'elle pût s'acoquiner avec plus monstrueux qu'elle ne leur avait pas effleuré l'esprit.

— Ne les crois pas, Carmelita ! intervint Quigley, tapotant son carnet. Ils feront brûler la maison de tes parents. J'en ai la preuve ici, dans mon calepin.

— Calepin ! se moqua le comte Olaf. Tu irais faire confiance à un calepin, Carmelita ? Plutôt qu'à la parole d'un adulte ?

— Regarde-nous, charmante petite, renchérit Esmé, et sa robe de fausses flammes crépita. Avons-nous des têtes d'incendiaires ?

— Carmelita ! cria Violette. Ne les écoute pas !

— Carmelita ! cria Klaus. Ne te joins pas à eux !

— Carmelita ! cria Prunille de sa petite voix ; autrement dit : « Tu t'apprêtes à faire un choix monstrueux ! »

— Carmelita, dit le comte Olaf d'une voix douceureuse, que dirais-tu de choisir l'orphelin que nous allons garder et de pousser les autres dans le ravin ? Après quoi nous irons tous finir la journée dans un bon hôtel !

— Tu seras la petite fille que nous n'avons jamais eue, lui dit Esmé, caressant son diadème.

— Quelque chose comme ça, marmotta Olaf, visiblement plus tenté par une paire de bras supplémentaire que par la petite fille qu'il n'avait jamais eue.

Carmelita jeta un dernier regard au quatuor Beauxdraps-Baudelaire, puis elle dédia son plus beau sourire aux deux scélérats.

— C'est vrai ? Vous me trouvez vraiment adorable ?

— Moi ? s'écria Esmé. Je te trouve adorable, belle comme le jour, charmante, délicieuse, éblouis-

sante, fascinante, gracieuse, harmonieuse, irrésistible, jolie comme un cœur, kitsch, lumineuse,
merveilleuse, naturelle, ornementale, parfaite ou
quasi parfaite, ravissante, séduisante, très tendance,
unique au monde, vertigineusement adorable,
wadorable, xylophone, yin-et-yanguement adorable
et adorablement zen!

— Ne l'écoute pas! plaida Quigley. Un être
humain ne peut pas être xylophone!

— M'en fiche! clama Carmelita. Bon. Je nous
débarrasse de trois pifgalettes et j'entame une
nouvelle vie, intense et zen et très tendance!

Les quatre enfants reculèrent à nouveau d'un
pas. Au-dessus d'eux s'éloignait la clameur rauque
des aigles recruteurs, au-dessous d'eux s'étalaient
les ruines du Q. G. ravagé par ceux-là mêmes que
leurs parents avaient voulu empêcher de nuire.
Violette chercha son ruban dans sa poche. Il fallait
trouver le moyen de fuir, fuir ces êtres malfaisants
et rejoindre ceux qui cherchaient à les combattre,
quelque part en leur dernier havre sûr... Une fois
de plus, ses doigts effleurèrent le couteau à pain,
une fois de plus elle s'interrogea. Pouvait-elle en
menacer les scélérats sans devenir scélérate pour
autant?

— Pauvres petits Baudelaire! minauda le comte.
Vous feriez mieux de vous rendre. Nous l'emportons
en nombre, et de loin.

— Pas du tout, rétorqua Klaus. Nous sommes quatre et vous, trois.

— Mais moi, je compte triple ! lança Carmelita. Parce que je suis la reine du Printemps des fous. Alors c'est nous qui sommes les plus nombreux, pifgalettes !

Ce n'était qu'une sottise de plus dans la bouche d'une petite sotte, et la vérité est que le nombre importe peu. Face aux moucherons des neiges, par exemple, Violette et Klaus avaient été nettement surpassés en nombre, ce qui ne les avait pas empêchés d'échapper à ce bataillon furieux, puis de trouver Quigley Beauxdraps, puis de découvrir le message codé dans le réfrigérateur. De la même façon, Prunille, bien que nettement surpassée en nombre face à la bande de crapules, avait non seulement survécu, mais encore découvert le nom du dernier lieu sûr et improvisé quelques mets aussi sains que savoureux. Enfin, les membres de S.N.P.V. avaient toujours été surpassés en nombre, les rangs des malfaisants et des cupides semblant grossir chaque jour, ainsi que le nombre de bibliothèques parties en fumée, et cependant les volontaires n'en avaient pas moins subsisté, mot signifiant ici : « continué à se réunir en secret, à communiquer par messages codés, et à rassembler patiemment tout ce qui permettrait, un jour, de mettre un point final aux monstrueuses combines de leurs ennemis ». Non, l'important n'est pas toujours le nombre, et les enfants, reculant à nouveau d'un pas, savaient où était l'important.

— Rosebud ! cria Prunille.

Ce qui signifiait, en clair : « Dans certains cas, un modeste objet est ce qui compte plus que tout au monde, infiniment plus que la question de savoir si l'on est surpassé en nombre. »

La remarque n'avait jamais été plus juste. Sous le regard abasourdi du trio malfaisant, Violette enfourcha ce modeste objet qu'était la luge de bois restée là et elle empoigna les brides de cuir. Quigley s'assit derrière elle, les bras noués autour de sa taille, Klaus s'assit derrière Quigley, les bras noués autour de sa taille, et, comme il restait une toute petite place, de quoi caser une toute petite fille, Prunille s'assit derrière son frère et se cramponna à lui comme une moule à son rocher.

D'un vigoureux coup de talon, Violette lança la luge en avant et les quatre enfants se mirent à dévaler ce qu'il restait de la pente glissante. Surpassés en nombre ou pas, ils échappaient ainsi à une fin horrible et c'était l'important – de même que l'important, pour vous, serait à présent d'échapper à la fin horrible de ce récit en refermant ce livre illico pour ouvrir n'importe quoi d'autre, fût-ce une boîte de chocolats, mais en tout cas pas un ouvrage dans lequel des scélérats accablent d'injures des enfants qui ne font que sauver leur peau.

— On vous rattrapera, petits morveux ! On est à vos trousses ! vociférait le comte Olaf tandis que la luge dévorait la pente, cahotant sur la glace craquelée et soulevant des gerbes d'éclaboussures.

— Nous rattraper ? Pas si vite, dit Violette par-dessus son épaule. J'ai crevé son pneu, vous vous rappelez ? Sans le vouloir, mais il est crevé.

— Oui, dit Quigley. Sans compter qu'il va devoir suivre la route. Je vois mal sa voiture se changer en luge.

— Donc, ça nous donne un peu d'avance, conclut Violette. Une petite chance d'arriver avant lui au dernier lieu sûr.

— Zoreilles ! cria Prunille. Hôtel Dénouement!

— Bravo, Prunille ! lui dit Violette très fière, tout en manœuvrant pour éviter la fissure centrale. Je savais que tu ferais une espionne hors pair.

— Hôtel Dénouement... répéta Quigley. Je crois bien avoir ça sur une de mes cartes. Dès qu'on sera en bas, je regarderai dans mon calepin.

— Bruce ! ajouta Prunille.

— Oui, approuva Klaus. Une chose de plus à noter, Quigley. Ce monsieur Bruce, figure-toi, nous l'avions déjà vu. Chez l'oncle Monty, juste avant de partir. Il embarquait la collection de reptiles pour le compte d'une société d'herpétologie.

— À votre avis, demanda Violette, c'est un membre de S.N.P.V. ou pas ?

— Difficile à dire, murmura Quigley, les yeux sur les ruines du Q. G. qui grossissaient à vive allure. Tout le problème est là. Des énigmes, on en a résolu pas mal, mais il en surgit d'autres sans arrêt. Mon frère et ma sœur disaient...

Mais les trois autres ne surent jamais ce que disaient Isadora et Duncan, car à cet instant la luge, malgré l'excellent pilotage de Violette, dérapa sur la glace fondante et se mit à tournoyer en toupie. Les quatre enfants hurlèrent de terreur. Violette tira sur les brides avec l'énergie du désespoir – et elles lui restèrent dans les mains.

— La direction est cassée! criait-elle. Je ne peux plus rien faire! Traîner Esmé dans la montée a dû affaiblir les brides!

— Aïe aïe aïe! s'écria Prunille; c'est-à-dire: « Tu as d'autres excellentes nouvelles? »

— À cette vitesse, on ne va jamais pouvoir s'arrêter! On va se retrouver dans la fosse creusée pour Esmé!

Pris de vertige, Klaus ferma les yeux derrière ses lunettes.

— Il n'y a vraiment rien à faire?

— Si! cria Violette. Faites traîner vos semelles sur la glace! Les crampons-fourchettes devraient nous freiner...

Les trois grands allongèrent les jambes afin de laisser traîner les pieds contre la glace en débâcle.

Prunille, dépourvue de crampons, ne pouvait qu'écouter les semelles de ses aînés crisser et clapoter sur la glace fondante.

— Ça ne suffit pas ! cria Klaus.

Et en effet la luge, bien qu'un peu ralentie, continuait de descendre en tournoyant, offrant aux enfants paralysés la vision intermittente du sommet qui s'éloignait et de la fosse creusée par leurs soins, de plus en plus proche et béante.

— Bicuspid ? demanda Prunille ; autrement dit : « Et si je laissais traîner mes dents, aussi ? »

— Essaie toujours, dit Klaus. On va bien voir.

Aussitôt dit, aussitôt fait. Même les fabuleuses dents de Prunille n'y pouvaient rien. La luge continuait de dévaler la pente à la façon d'un météorite.

— Ça ne suffit pas non plus, dit Violette, cherchant fiévreusement comment freiner le bolide.

Elle se repassait en pensée l'épisode de la roulotte folle, une soixantaine d'heures plus tôt – que cela semblait loin ! Hélas, elle n'avait rien sous la main pour improviser un parachute de freinage (la robe d'Esmé eût été parfaite), pas plus que de quoi préparer une mixture de sirop d'érable, sauce caramel, miel de trèfle sauvage, mélasse de troisième extraction, beurre de pomme, vinaigre balsamique extra-vieux, liqueur de marasquin, huile d'olive vierge et extra-vierge, écorces de citron confites, abricots secs, chutney à la mangue, moutarde forte, guimauves, sirop de maïs, beurre d'arachide, caramel au beurre salé, garniture pour tarte à la citrouille et colle forte. Strictement rien, à bord de cette luge, n'était poisseux ni collant ni visqueux.

Mais soudain elle se rappela cette petite table qu'elle avait traînée au sol, à l'arrière de la roulotte, et une idée lui vint. Larguant les brides inutiles, elle tira de sa poche le couteau à pain – ce couteau qu'elle s'était interdit de brandir au nez des malfrats, de peur de se faire malfrate elle-même. À présent, elle avait l'occasion de l'utiliser, et sans menacer quiconque.

Serrant les dents, cramponnée d'une main à la luge, elle se pencha par-dessus bord et, de l'autre main, planta de toutes ses forces la lame du couteau dans la glace de la pente glissante.

La pointe alla se ficher droit dans la fêlure née du mât de Carmelita, là-haut, puis la lame s'y enfonça tout entière, à l'instant même où la luge atteignait le trou d'eau pris en glace. Un formidable craquement s'ensuivit, un fracas sans nom tenant à la fois du bris de verre – comme si tous les miroirs de toutes les miroiteries du monde éclataient à la même seconde – et du tir de canon géant, répercuté par les montagnes.

Le couteau avait élargi la fissure et la glace venait de céder du haut en bas de la pente, vaincue par les coups de fourchettes, les coups de chandelier, les coups de mât, les coups de luge, les coups de dents et le redoux du Printemps des fous.

Alors, avec un whoosh! géant, les eaux emprisonnées se libérèrent de leur carcan et se ruèrent vers le bas de la pente. La seconde d'après, les enfants se retrouvèrent sous une cascade bouillonnante, des mètres cubes et des mètres cubes d'eau s'abattant sur eux sans ménagement. Ils n'eurent que le temps de prendre leur souffle. Déjà la luge était poussée vers le fond. Ils se cramponnèrent tant qu'ils purent, mais soudain Violette sentit que les mains qui lui enserraient la taille venaient de lâcher prise. Sitôt que la luge de bois refit surface, elle hurla à pleins poumons :

— Quigley!

« Violette! » entendirent les enfants Baudelaire, tous trois sur la luge changée en radeau. Et, tandis que leur embarcation s'engageait résolument sur l'un des bras du cours d'eau, Klaus pointa le doigt vers l'autre. Là-bas, juste à la sortie du trou d'eau, leur ami s'agrippait à ce qui semblait être un pan de rampe de bois, une rampe évoquant celle qui pourrait border, par exemple, un escalier menant à un observatoire astronomique. Le courant furieux emportait cet autre radeau – et Quigley par la même occasion – le long du deuxième bras de la Frappée.

— Quigley ! hurla de nouveau Violette.

— Violette ! hurla Quigley, par-dessus le rugissement des eaux. (Il brandissait énergiquement son calepin violet à bout de bras.) On se retrouvera ! Rendez-vous à...

Mais les enfants n'en entendirent pas davantage. Déchaînées par le Printemps des fous, les eaux du torrent emportaient luge et rampe à vive allure, chacune de son côté, chacune le long d'un des deux bras distincts. Une dernière fois, les enfants Baudelaire entraperçurent le calepin violet, puis le radeau de Quigley vira dans un méandre, le radeau du trio vira dans le méandre opposé, et les trois enfants perdirent de vue leur nouvel ami.

— Quigley ! appela Violette une troisième fois, et ses yeux s'emplirent de larmes.

— Il est sain et sauf, dit Klaus, prenant sa sœur par l'épaule pour l'empêcher de verser dans un coup de roulis.

Et Violette n'aurait su dire si son cadet pleurait aussi ou si ses joues ruisselaient encore de l'eau du torrent.

— Il est sain et sauf, répéta Klaus. C'est tout ce qui compte.

— Robinson, ajouta Prunille ; autrement dit : « Il a du courage et des ressources, il l'a déjà prouvé. Il s'en sortira, c'est sûr. »

Mais Violette avait le cœur gonflé, et il faut la

comprendre. Se voir séparés si brutalement, si peu de temps après avoir fait connaissance!

— En plus, il nous a donné rendez-vous quelque part, chevrota-t-elle, et nous ne savons même pas où.

— Il va peut-être essayer de retrouver Isadora et Duncan, suggéra Klaus, avant que les aigles ne les rattrapent? Sauf que nous ne savons pas où ils sont.

— Hôtel Dénouement? hasarda Prunille.

— Klaus, reprit Violette, toi qui as jeté un coup d'œil aux notes de Quigley, peux-tu nous dire si ces deux bras se rejoignent quelque part?

Klaus fit non, sobrement.

— Aucune idée. C'est Quigley, le cartographe.

— Godot, conclut Prunille: «Nous ne savons pas où aller, et nous ne savons même pas comment y aller.»

— Il y a tout de même deux ou trois choses que nous savons, rappela Klaus. Nous savons que quelqu'un a envoyé un message à J. S.

— Jac, dit Prunille.

Klaus acquiesça.

— Et nous savons que ce message disait: réunion jeudi au dernier lieu sûr.

— Matahari, dit Prunille.

Klaus sourit et l'attira contre lui afin qu'elle ne glisse pas du radeau-luge. Prunille n'était plus un bébé, mais elle était encore bien assez petite pour s'asseoir sur les genoux de son frère.

— Oui, dit-il. Grâce à toi, nous savons que le dernier lieu sûr est l'hôtel Dénouement.

— Mais nous ne savons pas où il est, rappela Violette. Nous ne savons pas où retrouver les derniers membres de S.N.P.V., nous ne savons même pas s'il en reste. Nous ne savons toujours pas vraiment ce que signifie S.N.P.V., ni si nos parents sont morts ou vivants. À force d'enquêter, c'est vrai, nous avons éclairci un ou deux petits mystères, mais il en reste encore tant à démêler!

Ses cadets hochèrent la tête, tout tristes, et si j'avais été auprès d'eux, au lieu d'arriver bien trop tard, j'aurais hoché la tête, tout triste aussi. J'ai eu beau vouer de longues années à enquêter sur l'affaire Baudelaire, bien des points ont résisté à tous mes efforts pour y voir clair. J'ignore toujours, par exemple, ce qu'il est advenu des deux dames poudrées qui décidèrent sur un coup de tête de quitter la troupe d'Olaf et s'en furent à pied, sans se retourner, vers le bas du mont Augur. D'aucuns assurent qu'elles continuent de se fariner de blanc et qu'on peut les entendre, le soir, chanter des airs tristes à mourir dans l'un ou l'autre des pianos-bars les plus démoralisants de la ville. D'autres assurent qu'elles vivent ensemble au cœur de l'arrière-pays, et tentent de cultiver la rhubarbe dans ce sol sec comme du béton. D'autres encore disent qu'elles ont trouvé leur fin quelque part dans les monts Mainmorte, et que leurs ossements reposent dans l'une des nombreuses cavernes au flanc de ces étranges monts carrés. Mais j'ai eu beau enchaîner les soirées lugubres au music-hall, avaler les pires platées de rhubarbe de ma vie et rapporter os après os à une anthropologue de ma connaissance jusqu'à ce qu'elle me supplie d'arrêter, au bord de la dépression, j'ai échoué à découvrir ce qu'il était réellement advenu de ces deux femmes. De même, peut-être l'ai-je déjà dit, j'ignore absolument où gisent les restes de la roulotte et, comme j'arrive au bout de mon dictionnaire de rimes – à cette dernière page où l'on constate que zouk ne rime avec rien, hormis bachi-bouzouk –, je me demande si je ne ferais pas mieux de renoncer à cette partie de mon enquête. Et je n'ai pas trouvé trace non plus du frigo dans lequel les enfants découvrirent le message codé, en dépit de rumeurs selon lesquelles lui aussi se trouverait au fond d'une caverne, ou quelque part encore en service dans l'un ou l'autre des pianos-bars les plus démoralisants de la ville.

Cela dit, même si j'en ignore beaucoup, il est tout de même deux ou trois mystères que j'ai pu tirer au clair, et l'un d'eux est le lieu exact où les trois enfants aboutirent ensuite, emportés par le courant au fil des méandres de la Frappée, tout comme le fut le sucrier après qu'un volontaire l'eut jeté dans ces eaux pour le sauver du feu.

Mais bien que je sache très précisément où se retrouvèrent les trois enfants, bien que je puisse retracer leur parcours sans l'ombre d'une hésitation, sur une carte tracée par l'un des jeunes cartographes les plus prometteurs de notre temps, il est un auteur mieux placé que moi pour résumer cette partie de leur voyage – un auteur qui en dit plus long que moi et en beaucoup moins de mots.

Tout comme l'auteur du « Chemin délaissé », ce collègue dont l'écriture marie élégance et justesse est aujourd'hui décédé. Avant de mourir, cependant, il s'était taillé une réputation d'excellent poète, même si d'aucuns jugent ses écrits sur la religion assez peu recommandables. Son nom ? Algernon Charles Swinburne, et les quatre derniers vers de la onzième strophe de son poème « Le Jardin de Proserpine » expriment à la perfection ce qu'allaient découvrir les trois enfants, tandis que ce chapitre de leur vie s'apprêtait à laisser place au suivant.

Les deux premiers vers en question nous invitent à remercier le ciel.

De ce que nulle vie n'est à vivre à jamais
Et que nul mort, jamais, ne revient à la vie,

Et le fait est que, la mort étant un aller simple, les enfants ne devaient plus jamais revoir Jacques

Snicket, par exemple, ni leur père, pour la même raison. Quant aux deux vers suivants, ils s'énoncent ainsi :

*Et qu'après maints détours le fleuve le plus las
Comme en un havre sûr aboutit à la mer.*

Ce passage-là est nettement plus ardu ; parce que certains poèmes sont un peu des messages codés, il faut les étudier longuement pour en extraire tout le sens. Un poète chevronné – comme Isadora Beauxdraps, la sœur triplée de Quigley – aurait sans doute perçu d'emblée ce que signifiaient ces deux vers. Pour ma part, il m'a fallu ruminer durant des mois pour les décrypter. Au bout du compte, cependant, il m'est apparu clairement que « le fleuve le plus las » ne pouvait être que la rivière Frappée, lasse à coup sûr d'avoir dû charrier des tonnes et des tonnes de débris à la suite de l'incendie du Q. G. Et j'ai fini par comprendre aussi que ce « havre sûr » qu'est la mer était bel et bien en rapport avec le dernier lieu sûr dans lequel les volontaires, les enfants Baudelaire et Quigley espéraient se retrouver.

Comme le disait si bien Prunille, les trois enfants ne savaient où aller, et ils ne savaient pas davantage comment y aller. Cependant ils y allaient, de méandre en méandre. Et c'est une chose – l'une des rares choses – dont je peux me dire certain.

Bien cher Éditeur,

Veuillez m'excuser pour le caractère quelque peu détrempé de la présente, mais je vous écris depuis un environnement excessivement aqueux et je crains fort que ces lignes ne vous parviennent délavées, mot signifiant ici : « mêlées à de l'eau salée provenant de l'océan et des glandes lacrymales de l'auteur ».

J'ai toutes les peines du monde à mener mon enquête sur le sous-marin délabré à bord duquel les enfants Baudelaire ont vécu cet épisode invivable de leur vie, mais j'espère vivement que l'essentiel de ce message ne vous parviendra pas délavé au-delà de toute lisibilité.

La grotte dont il est question dans

LEMONY SNICKET est universellement reconnu comme l'un des auteurs pour la jeunesse les plus difficiles à arrêter et à jeter en prison. Tout récemment, il a dû renoncer à l'un de ses violons d'Ingres en raison de lois concernant la pratique de la musique en zone montagneuse.

BRETT HELQUIST est né à Gonado, Arizona, il a grandi à Orem, Utah, et vit aujourd'hui à New York où il s'efforce, entre autres nobles activités, de traduire les obscures découvertes de M. Snicket en images, montrant toute l'horreur de la malédiction Baudelaire.

ROSE-MARIE VASSALLO ne s'attendait guère, en adoptant le trio Baudelaire (traduire est une forme d'adoption), à tant de chausse-trappes littéraires, d'anagrammes en acrostiches et autres messages cryptiques. Et qui sait ce que lui réserve la suite – logogriphe, palindrome ou charade à tiroirs?

ℒ Cher lecteur, ℒ

Si tu n'as pas eu ton compte de malheurs en lisant ce livre, tu peux te procurer le prochain épisode chez ton infortuné libraire. Il te le vendra peut-être, bien malgré lui, à condition que tu insistes longuement. En effet, le sort ne laisse présager rien de bien heureux à Violette, à Klaus et à Prunille ; c'est bien à regret que nous te rappelons le titre des livres qui relatent le malheur de ces enfants :

Tome 1 – Nés sous une mauvaise étoile
Tome 2 – Le laboratoire aux reptiles
Tome 3 – Ouragan sur le lac
Tome 4 – Cauchemar à la scierie
Tome 5 – Piège au collège
Tome 6 – Ascenseur pour la peur
Tome 7 – L'arbre aux corbeaux
Tome 8 – Panique à la clinique
Tome 9 – La fête féroce

Enfin, si les trois orphelins Baudelaire survivent, la sortie du onzième volume de leurs désastreuses aventures devrait avoir lieue au mois d'octobre 2006 !

Mais il est encore temps, cher lecteur, de te tourner vers des lectures plus riantes, comme te le recommandera certainement, pour ton bien, ton libraire préféré…